#교재검토
#선생님들
#감사합니다

강동욱 강면광 강세임 강유진 고예원 구은정 권구미 권익재 권지나 권효석 길지만
김민정 김민지 김솔 김수빈 김수아 김용찬 김정식 김정하 김주현 김준 김지나
김진규 김채연 김희연 노경욱 류세영 류화숙 민동진 민혜린 박레나 박상범 박선영
박영경 박영선 박영주 박유경 박은미 박은하 박진영 박효정 소지희 손규현 손지현
송희승 신나리 안재은 양성모 양지영 양지혁 양희린 엄금희 오보나 오재원 오희정
우진일 원주영 유효선 윤인영 윤정희 윤지영 이경미 이명순 이솜결 이수빈 이아랑
이아현 이은미 이충기 이현진 임도희 임유정 임은정 정수정 정진아 지민경 차효순
최수연 최아현 최인규 하선빈 허미영 홍수정 황근은

Chunjae Makes Chunjae

편집개발 이명진, 신원경, 이민선
디자인총괄 김희정
표지디자인 윤순미, 장미
내지디자인 박희춘, 박광순
제작 황성진, 조규영

발행일 2021년 5월 1일 초판 2021년 5월 1일 1쇄
발행인 (주)천재교육
주소 서울시 금천구 가산로9길 54
신고번호 제2001-000018호
고객센터 1577-0902
교재 내용문의 (02)3282-8884

※ 정답 분실 시에는 천재교육 교재 홈페이지에서 내려받으세요.

중학 어휘
2

시작은

하루
영어

시작은 하루 영어 중학 어휘 2 구성과 특징

시작하며

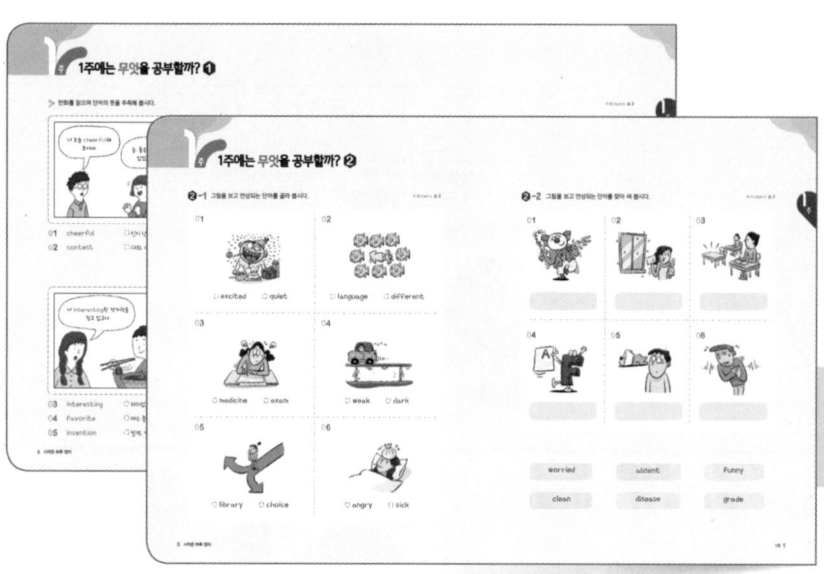

이번 주에는 무엇을 공부할까? ❶ ❷

- 그 주의 공부를 시작하기 전에 영단어의 의미를 추측해 볼 수 있도록 만화로 재미있게 구성하였습니다.
- 그 주에 공부할 영단어를 간단한 그림 문제로 미리 익힐 수 있게 구성하였습니다.

한 주를 마무리 하며

특강 창의·융합·코딩

어휘와 관련된 재미있는 이야기를 읽고, 창의·융합·코딩 문제를 풀면서 한 주 동안 공부한 내용을 복습할 수 있도록 하였습니다.

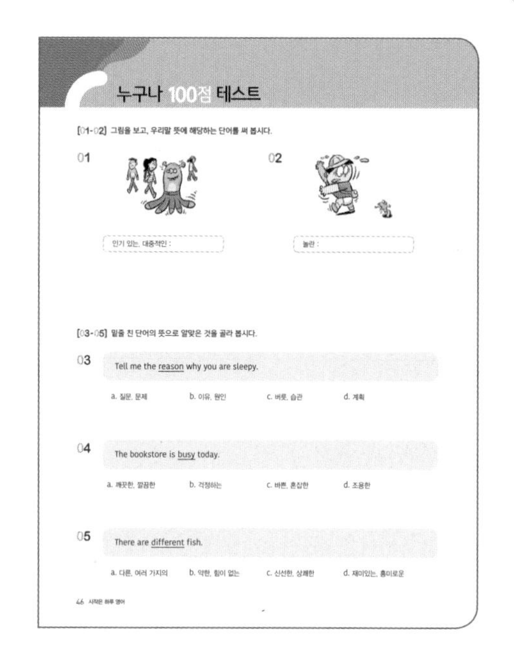

누구나 100점 테스트

한 주를 마무리하며 학습한 어휘를 얼마나 잘 익혔는지 테스트할 수 있도록 하였습니다.

5일 동안

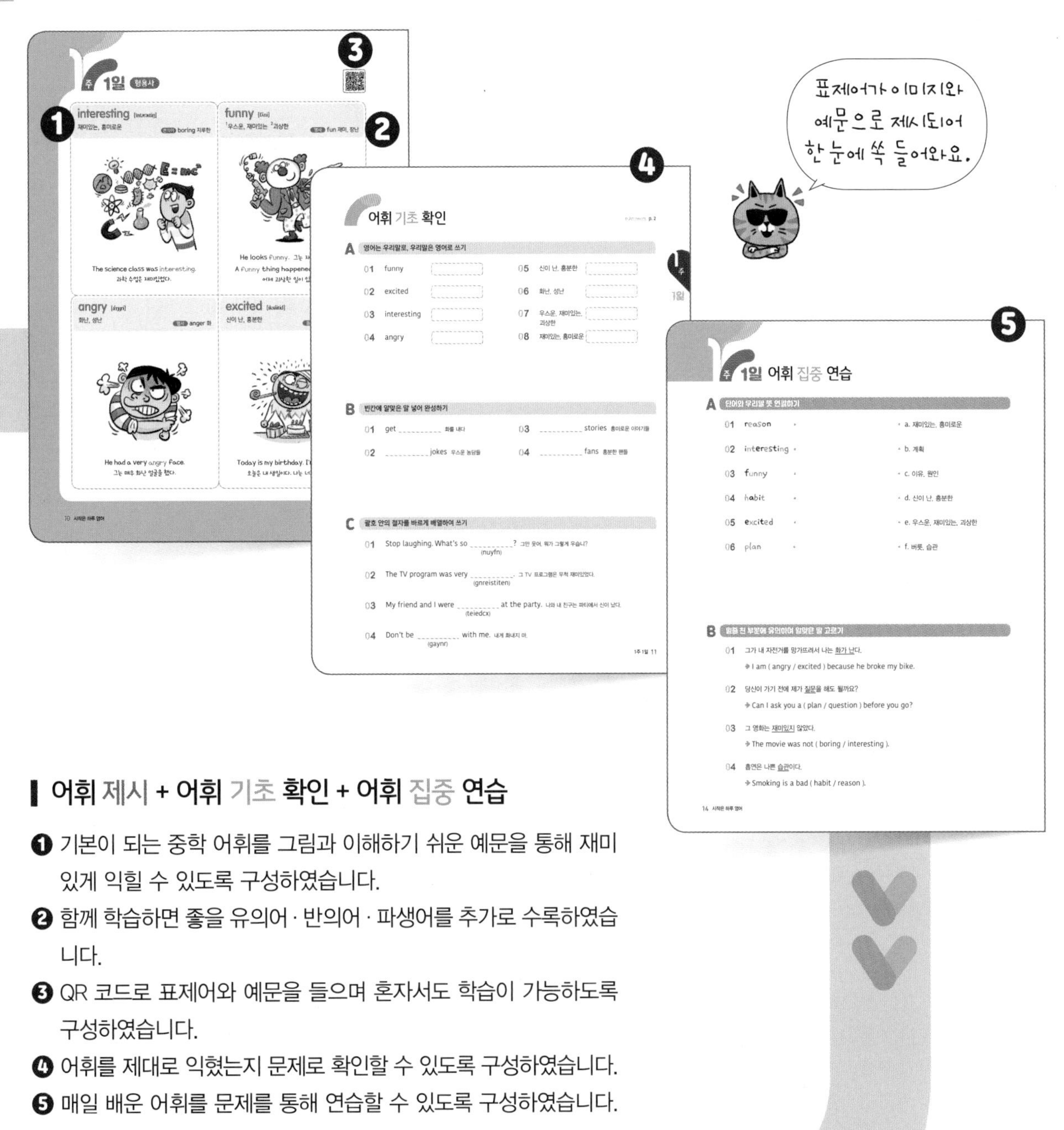

어휘 제시 + 어휘 기초 확인 + 어휘 집중 연습

❶ 기본이 되는 중학 어휘를 그림과 이해하기 쉬운 예문을 통해 재미있게 익힐 수 있도록 구성하였습니다.

❷ 함께 학습하면 좋을 유의어 · 반의어 · 파생어를 추가로 수록하였습니다.

❸ QR 코드로 표제어와 예문을 들으며 혼자서도 학습이 가능하도록 구성하였습니다.

❹ 어휘를 제대로 익혔는지 문제로 확인할 수 있도록 구성하였습니다.

❺ 매일 배운 어휘를 문제를 통해 연습할 수 있도록 구성하였습니다.

시작은 하루 영어 중학 어휘 2

차례

1주

2주

3주

어휘	쪽수	공부한 날
3주에는 무엇을 공부할까? ❶ ❷	pp. 90~93	월 일
1일	pp. 94~99	월 일
2일	pp. 100~105	월 일
3일	pp. 106~111	월 일
4일	pp. 112~117	월 일
5일	pp. 118~123	월 일
특강 창의·융합·코딩	pp. 124~129	월 일
누구나 100점 테스트	pp. 130~131	월 일

4주

어휘	쪽수	공부한 날
4주에는 무엇을 공부할까? ❶ ❷	pp. 132~135	월 일
1일	pp. 136~141	월 일
2일	pp. 142~147	월 일
3일	pp. 148~153	월 일
4일	pp. 154~159	월 일
5일	pp. 160~165	월 일
특강 창의·융합·코딩	pp. 166~171	월 일
누구나 100점 테스트	pp. 172~173	월 일

1주 1주에는 무엇을 공부할까? 1

> 만화를 읽으며 단어의 뜻을 추측해 봅시다.

01 cheerful ☐ 신이 난, 흥분한 ☐ 쾌활한, 발랄한

02 contest ☐ 대회, 시합 ☐ 시험, 검사

03 interesting ☐ 재미없는, 지루한 ☐ 재미있는, 흥미로운

04 favorite ☐ 매우 좋아하는 ☐ 인기 있는, 대중적인

05 invention ☐ 발명, 발명품 ☐ 과제, 주제, 문제

Answers p. 2

06	plan	☐ 일, 직업, 역할	☐ 계획
07	habit	☐ 버릇, 습관	☐ 선택(권)

08	talent	☐ 재능	☐ 경험
09	problem	☐ 미래, 장래	☐ 질문, 문제

주

1주에는 무엇을 공부할까? ❷

❷-1 그림을 보고 연상되는 단어를 골라 봅시다.

Answers p. 2

01

□ excited □ quiet

02

□ language □ different

03

□ medicine □ exam

04

□ weak □ dark

05

□ library □ choice

06

□ angry □ sick

❷-2 그림을 보고 연상되는 단어를 찾아 써 봅시다.

Answers p. 2

01

02

03

04

05

06

worried | absent | funny

clean | disease | grade

interesting [íntərəstiŋ]

재미있는, 흥미로운

반의어 boring 지루한

The science class was interesting.

과학 수업은 재미있었다.

funny [fʌ́ni]

[1]우스운, 재미있는 [2]괴상한

명사 fun 재미, 장난

He looks funny. 그는 재미있어 보인다.

A funny thing happened yesterday.

어제 괴상한 일이 있었다.

angry [ǽŋgri]

화난, 성난

명사 anger 화

He had a very angry face.

그는 매우 화난 얼굴을 했다.

excited [iksáitid]

신이 난, 흥분한

동사 excite 흥분시키다

Today is my birthday. I'm so excited.

오늘은 내 생일이다. 나는 너무 신이 난다.

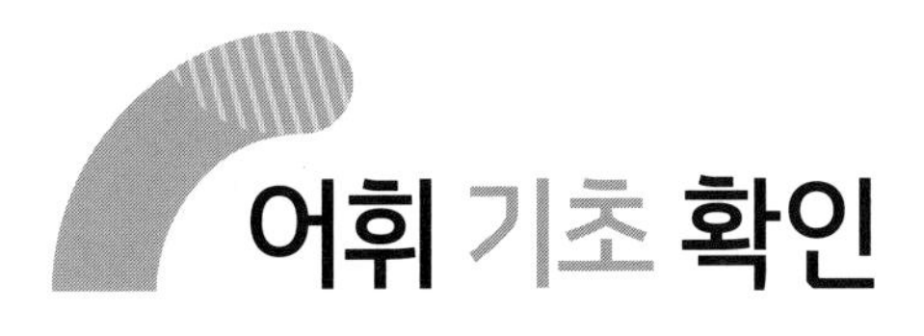

어휘 기초 확인

Answers p. 2

A 영어는 우리말로, 우리말은 영어로 쓰기

01 funny ______

02 excited ______

03 interesting ______

04 angry ______

05 신이 난, 흥분한 ______

06 화난, 성난 ______

07 우스운, 재미있는, 괴상한 ______

08 재미있는, 흥미로운 ______

B 빈칸에 알맞은 말 넣어 완성하기

01 get ______ 화를 내다

02 ______ jokes 우스운 농담들

03 ______ stories 흥미로운 이야기들

04 ______ fans 흥분한 팬들

C 괄호 안의 철자를 바르게 배열하여 쓰기

01 Stop laughing. What's so ______ (nuyfn)? 그만 웃어. 뭐가 그렇게 우습니?

02 The TV program was very ______ (gnreististen). 그 TV 프로그램은 무척 재미있었다.

03 My friend and I were ______ (teiedcx) at the party. 나와 내 친구는 파티에서 신이 났다.

04 Don't be ______ (gaynr) with me. 내게 화내지 마.

question [kwéstʃən]

질문, 문제

answer 대답

I have some questions about you.

나는 당신에 대해 몇 가지 질문이 있다.

reason [ríːzn]

이유, 원인

Tell me the reason why you are sleepy.

네가 졸린 이유를 내게 말해 줘.

plan [plæn]

계획

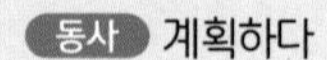

계획하다

Do you have any plans this Saturday?

이번 주 토요일에 계획이 있니?

habit [hǽbit]

버릇, 습관

Good habits bring good health.

좋은 습관은 좋은 건강을 가져온다.

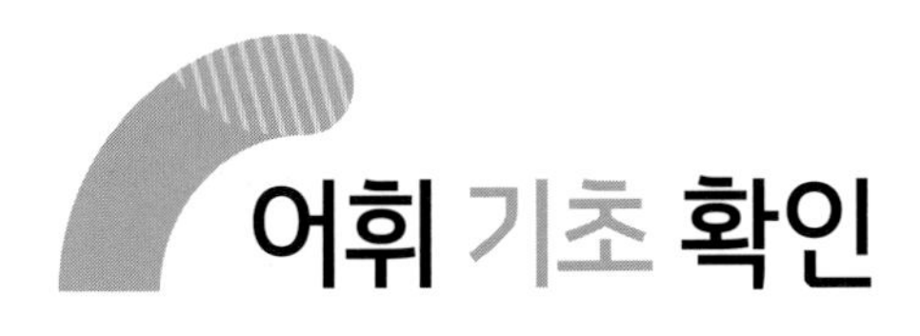

어휘 기초 확인

Answers p. 2

A 영어는 우리말로, 우리말은 영어로 쓰기

01 reason

02 habit

03 question

04 plan

05 질문, 문제

06 계획

07 이유, 원인

08 버릇, 습관

B 빈칸에 알맞은 말 넣어 완성하기

01 break a ____________ 습관을 고치다

02 an easy ____________ 쉬운 질문

03 a simple ____________ 간단한 이유

04 a new ____________ 새로운 계획

C 알맞은 말 골라 쓰기

plans	questions	habits	reasons

01 I need to change my eating ____________. 나는 식습관을 바꿔야 한다.

02 Do you have any ____________ for me? 내게 질문이 있나요?

03 There were no ____________ to be angry. 화를 낼 이유가 없었다.

04 We have special ____________ for the weekend. 우리는 특별한 주말 계획이 있다.

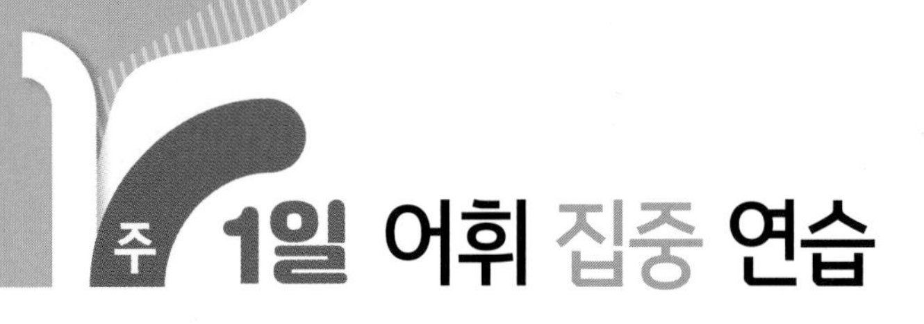

1일 어휘 집중 연습

A 단어와 우리말 뜻 연결하기

01 reason •　　　　• a. 재미있는, 흥미로운

02 interesting •　　　　• b. 계획

03 funny •　　　　• c. 이유, 원인

04 habit •　　　　• d. 신이 난, 흥분한

05 excited •　　　　• e. 우스운, 재미있는, 괴상한

06 plan •　　　　• f. 버릇, 습관

B 밑줄 친 부분에 유의하여 알맞은 말 고르기

01 그가 내 자전거를 망가뜨려서 나는 화가 난다.

➔ I am (angry / excited) because he broke my bike.

02 당신이 가기 전에 제가 질문을 해도 될까요?

➔ Can I ask you a (plan / question) before you go?

03 그 영화는 재미있지 않았다.

➔ The movie was not (boring / interesting).

04 흡연은 나쁜 습관이다.

➔ Smoking is a bad (habit / reason).

Answers p. 2

C 빈칸에 알맞은 철자를 넣어 문장 완성하기

01 너는 그가 울고 있는 이유를 아니?

➔ Do you know the [r][ ][ ][s][o][ ] why he is crying?

02 너는 그녀를 아주 재미있기 때문에 좋아할 것이다.

➔ You will like her because she is very [ ][u][n][ ][ ].

03 오늘 나는 아주 신이 난다.

➔ I feel so [ ][ ][c][ ][t][ ][d] today.

04 네 계획을 포기하지 마.

➔ Don't give up your [p][ ][ ][ ].

1주 1일 누적 테스트 영어는 우리말로, 우리말은 영어로 쓰기

01	question	
02	interesting	
03	funny	
04	angry	
05	plan	
06	habit	
07	excited	
08	reason	
09	화난, 성난	
10	재미있는, 흥미로운	
11	버릇, 습관	
12	우스운, 재미있는, 괴상한	
13	이유, 원인	
14	계획	
15	질문, 문제	
16	신이 난, 흥분한	

busy [bízi]

[1]바쁜 [2]혼잡한

She is busy making cookies.
그녀는 과자를 만드느라 바쁘다.
The bookstore is busy today.
그 서점은 오늘 혼잡하다.

difficult [dífikʌlt]

어려운, 힘든

반의어 easy 쉬운

The puzzle is difficult to put together.
퍼즐은 맞추기 어렵다.

favorite [féivərit]

매우 좋아하는

My favorite sport is tennis.
내가 가장 좋아하는 운동은 테니스이다.

clean [kli:n]

깨끗한, 깔끔한

반의어 dirty, messy 지저분한

The window is clean now.
창문은 이제 깨끗하다.

어휘 기초 확인

Answers p. 3

A 영어는 우리말로, 우리말은 영어로 쓰기

01 favorite [ ]

02 busy [ ]

03 clean [ ]

04 difficult [ ]

05 바쁜, 혼잡한 [ ]

06 어려운, 힘든 [ ]

07 매우 좋아하는 [ ]

08 깨끗한, 깔끔한 [ ]

B 빈칸에 알맞은 말 넣어 완성하기

01 the ________ road 혼잡한 도로

02 my ________ bag 내가 매우 좋아하는 가방

03 a ________ towel 깨끗한 수건

04 a ________ question 어려운 문제

C 알맞은 말 골라 쓰기

busy	favorite	clean	difficult

01 The math test was ________. 수학 시험은 어려웠다.

02 Mom always keeps the kitchen ________. 엄마는 항상 부엌을 깨끗하게 유지하신다.

03 Jimin's ________ season is summer. 지민이가 가장 좋아하는 계절은 여름이다.

04 Are you ________ now, Dad? 지금 바쁘세요, 아빠?

명사

subject [sʌ́bdʒikt]

[1]과목 [2]주제 [3]문제

유의어 topic 주제

What is your favorite subject?
네가 가장 좋아하는 과목은 뭐니?

The subject of the story is war.
그 이야기의 주제는 전쟁이다.

invention [invénʃən]

발명, 발명품

동사 invent 발명하다

The best invention is the smartphone.
최고의 발명품은 스마트폰이다.

exam [igzǽm]

[1]시험 [2]검사

유의어 examination, test

I did well on the exam. 나는 시험을 잘 봤다.

I took an eye exam. 나는 시력 검사를 했다.

problem [prɑ́bləm]

문제

He has a problem with his car.
그의 차에 문제가 있다.

어휘 기초 확인

Answers p. 3

A 영어는 우리말로, 우리말은 영어로 쓰기

01 problem ______

02 invention ______

03 subject ______

04 exam ______

05 시험, 검사 ______

06 과목, 주제, 문제 ______

07 발명, 발명품 ______

08 문제 ______

B 빈칸에 알맞은 말 넣어 완성하기

01 pass the ______ 시험에 합격하다

02 change the ______ 주제를 바꾸다

03 a difficult ______ 어려운 문제

04 a wonderful ______ 멋진 발명품

C 괄호 안의 철자를 바르게 배열하여 쓰기

01 His ______ (nievntnio) was better than mine. 그의 발명품은 내 것보다 더 나았다.

02 I took the Spanish ______ (aemx) yesterday. 나는 어제 스페인어 시험을 봤다.

03 What is your biggest ______ (omprleb)? 너의 가장 큰 문제는 뭐니?

04 History is a very interesting ______ (sbjucte). 역사는 무척 재미있는 과목이다.

1주 2일 어휘 집중 연습

A 단어와 우리말 뜻 연결하기

01 favorite •

02 problem •

03 difficult •

04 subject •

05 invention •

06 exam •

• a. 과목, 주제, 문제

• b. 발명, 발명품

• c. 어려운, 힘든

• d. 시험, 검사

• e. 문제

• f. 매우 좋아하는

B 밑줄 친 부분에 유의하여 알맞은 말 고르기

01 나는 지금 바빠서 너와 놀 수 없어.

➔ Because I'm (difficult / busy) now, I can't play with you.

02 너는 무슨 문제가 있니?

➔ Do you have any (subjects / problems)?

03 그녀는 시험에 또 떨어졌다.

➔ She failed the (exam / invention) again.

04 그는 깨끗한 양말과 새 신발로 바꿔 신었다.

➔ He changed into (clean / favorite) socks and new shoes.

Answers p. 3

C 빈칸에 알맞은 철자를 넣어 문장 완성하기

01 내가 가장 좋아하는 색깔은 주황색이다.

→ My [ ][ ][v][ ][r][ ][t][ ] color is orange.

02 그 책은 나에게 어렵다.

→ The book is [d][ ][ ][ ][i][ ][ ][ ][t] for me.

03 너는 어떤 과목을 가장 좋아하니?

→ Which [ ][ ][b][ ][e][ ][ ] do you like the most?

04 과학자들은 훌륭한 발명품들을 만들었다.

→ Scientists made great [ ][n][ ][ ][n][ ][ ][ ][ ][s].

1주 1~2일 누적 테스트 영어는 우리말로, 우리말은 영어로 쓰기

01	reason	
02	interesting	
03	funny	
04	excited	
05	busy	
06	clean	
07	invention	
08	favorite	
09	계획	
10	화난, 성난	
11	버릇, 습관	
12	질문, 문제	
13	시험, 검사	
14	어려운, 힘든	
15	문제	
16	과목, 주제, 문제	

absent [ǽbsənt]

결석한, 없는

반의어 present 참석한

She was absent from school today.
그녀는 오늘 학교에 결석했다.

different [dífərənt]

1다른 2여러 가지의

반의어 same 똑같은
명사 difference 다름, 차이

It is different from the others.
그것은 나머지와 다르다.

There are different fish.
다양한 물고기가 있다.

popular [pápjulər]

1인기 있는 2대중적인

반의어 unpopular 인기 없는

Jeans are popular among the young.
청바지는 젊은 사람들 사이에서 인기 있다.

quiet [kwáiət]

조용한

반의어 noisy 시끄러운

She will be as quiet as a mouse.
그녀는 매우 조용히 있을 것이다.

어휘 기초 확인

Answers p. 3

A 영어는 우리말로, 우리말은 영어로 쓰기

01 quiet ______

02 absent ______

03 popular ______

04 different ______

05 결석한, 없는 ______

06 다른, 여러 가지의 ______

07 조용한 ______

08 인기 있는, 대중적인 ______

B 빈칸에 알맞은 말 넣어 완성하기

01 a ______ teacher 인기 있는 선생님

02 ______ from home 집에 없는

03 a ______ boy 조용한 소년

04 ______ ways 여러 가지 방법들

C 알맞은 말 골라 쓰기

popular	quiet	absent	different

01 You look ______ today. 너는 오늘 달라 보인다.

02 Please be ______ and listen to me. 조용히 하고 제 말을 들어 주세요.

03 His films are getting ______. 그의 영화는 점점 인기가 있다.

04 The leader was ______ from the meeting. 리더는 모임에 참석하지 않았다.

grade [greid]

[1]성적 [2]학년

I had good grades. 나는 좋은 성적을 받았다.

He is in the third grade. 그는 3학년이다.

library [láibrèri]

도서관

The library is a quiet place for reading.

도서관은 독서를 하는 조용한 곳이다.

talent [tǽlənt]

[1]재능 [2]재능 있는 사람

He has a talent for playing chess.

그는 체스를 두는 데 재능이 있다.

There are young talents in Korea.

한국에는 젊은 인재들이 있다.

contest [kántest]

대회, 시합

She won first prize in the singing contest.

그녀는 노래 경연 대회에서 일등을 했다.

어휘 기초 확인

Answers p. 4

A 영어는 우리말로, 우리말은 영어로 쓰기

01 contest ______

02 grade ______

03 talent ______

04 library ______

05 재능, 재능 있는 사람 ______

06 도서관 ______

07 성적, 학년 ______

08 대회, 시합 ______

B 빈칸에 알맞은 말 넣어 완성하기

01 show a ______ 재능을 보여주다

02 the first ______ 1학년

03 go to the ______ 도서관에 가다

04 win a ______ 대회에서 이기다

C 알맞은 말 골라 쓰기

library	contest	talent	grade

01 I want to take part in a swimming ______. 나는 수영 경연 대회에 참가하고 싶다.

02 Amy got a ______ A in science. Amy는 과학에서 A 성적을 받았다.

03 You can use the ______ after school. 여러분은 방과 후에 도서관을 이용할 수 있다.

04 As an artist, she's a great ______. 예술가로서 그녀는 대단히 재능 있는 사람이다.

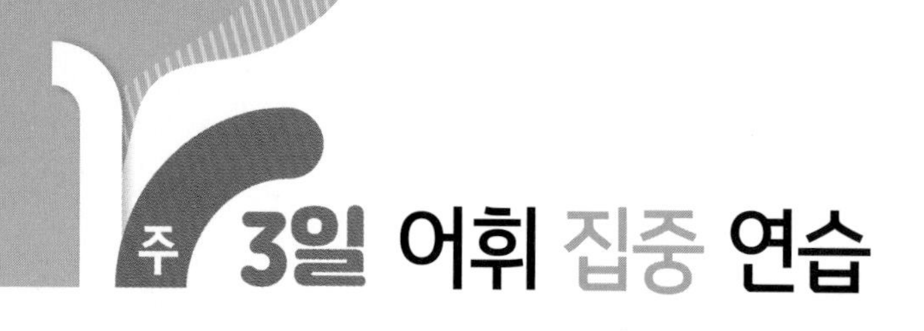

1주 3일 어휘 집중 연습

A 단어와 우리말 뜻 연결하기

01 talent •
02 absent •
03 popular •
04 grade •
05 library •
06 different •

• a. 도서관
• b. 성적, 학년
• c. 재능, 재능 있는 사람
• d. 다른, 여러 가지의
• e. 결석한, 없는
• f. 인기 있는, 대중적인

B 밑줄 친 부분에 유의하여 알맞은 말 고르기

01 그의 집은 늘 조용했다.

➔ His house was always (quiet / absent).

02 너는 대회 전에 기분이 어땠니?

➔ How did you feel before the (subject / contest)?

03 내 사촌은 4학년이다.

➔ My cousin is in the fourth (grade / talent).

04 우리는 쌍둥이지만, 무척 다르다.

➔ We are twins, but very (different / popular).

Answers p. 4

C 빈칸에 알맞은 철자를 넣어 문장 완성하기

01 Karen은 학교에서 무척 인기가 있다.

→ Karen is very [p][ ][ ][u][l][ ][ ] at school.

02 너는 어제 왜 결석했니?

→ Why were you [ ][b][ ][ ][n][ ] yesterday?

03 새 도서관은 다음 달에 열 것이다.

→ The new [ ][ ][b][ ][a][ ][ ] will open next month.

04 나에게는 음악적 재능이 없다.

→ I don't have a musical [ ][a][ ][ ][n][ ].

1주 2~3일 누적 테스트 영어는 우리말로, 우리말은 영어로 쓰기

01	problem		09	발명, 발명품	
02	clean		10	어려운, 힘든	
03	exam		11	바쁜, 혼잡한	
04	favorite		12	과목, 주제, 문제	
05	contest		13	결석한, 없는	
06	talent		14	다른, 여러 가지의	
07	grade		15	도서관	
08	popular		16	조용한	

boring [bɔ́:riŋ]

재미없는, 지루한

반의어 interesting 재미있는, 흥미로운

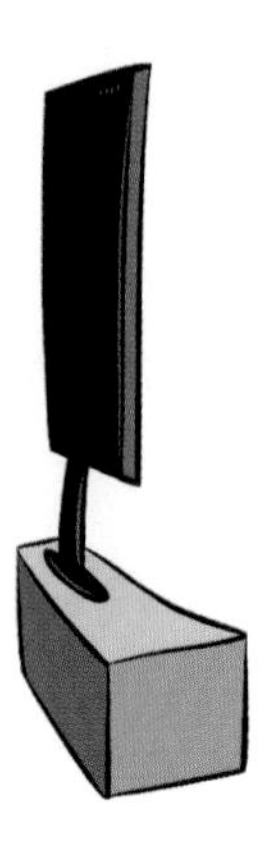

The movie was boring.

그 영화는 지루했다.

surprised [sərpráizd]

놀란

동사 surprise 놀라게 하다

The child was very surprised.

그 아이는 매우 놀랐다.

worried [wə́:rid]

걱정하는

동사 worry 걱정하다

I'm really worried about my pet.

나의 반려동물이 정말 걱정된다.

cheerful [tʃíərfəl]

쾌활한, 발랄한

동사 cheer 환호하다, 응원하다

She is cheerful today.

그녀는 오늘 쾌활하다.

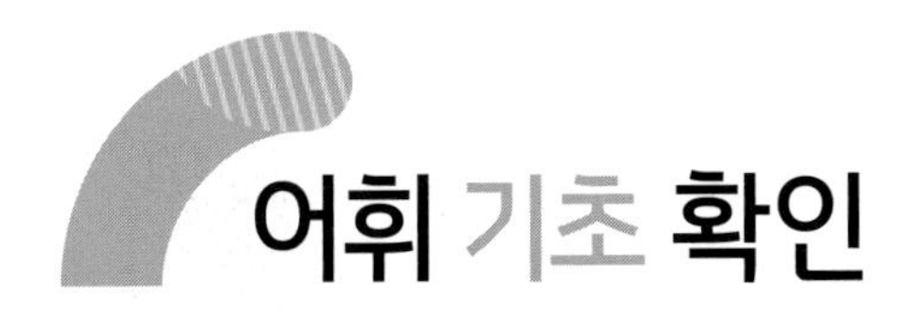

어휘 기초 확인

Answers p. 4

A 영어는 우리말로, 우리말은 영어로 쓰기

01 surprised

02 boring

03 cheerful

04 worried

05 걱정하는

06 놀란

07 재미없는, 지루한

08 쾌활한, 발랄한

B 빈칸에 알맞은 말 넣어 완성하기

01 ____________ at the news 소식에 놀란

02 a ____________ smile 발랄한 미소

03 ____________ books 지루한 책들

04 look ____________ 걱정 있어 보이다

C 괄호 안의 철자를 바르게 배열하여 쓰기

01 I'm getting ____________ about my sisters. 나는 점점 여동생들이 걱정되고 있다.
(owrierd)

02 The violin concert was ____________. 그 바이올린 공연은 지루했다.
(nbroig)

03 Mina is my ____________ friend. 민아는 나의 발랄한 친구이다.
(cehrufel)

04 She is ____________ to see him again. 그녀는 그를 다시 만나서 놀랍다.
(uesrrispd)

job [dʒab]

일, 직업, 역할

I enjoy my job very much.
나는 나의 직업을 굉장히 즐긴다.

language [lǽŋgwidʒ]

언어, 말

How many languages can you speak?
당신은 몇 개 국어를 말할 수 있나요?

future [fjúːtʃər]

미래, 장래

형용사 미래의, 장래의

He talks about his plans for the future.
그는 미래 자신의 계획에 대해 말한다.

choice [tʃɔis]

선택(권)

동사 choose 선택하다

It is a difficult choice for me.
그것은 내게 어려운 선택이다.

어휘 기초 확인

Answers p. 4

A 영어는 우리말로, 우리말은 영어로 쓰기

01 future

02 job

03 choice

04 language

05 언어, 말

06 미래, 장래

07 일, 직업, 역할

08 선택(권)

B 빈칸에 알맞은 말 넣어 완성하기

01 my first ________ 나의 모국어

02 look for a ________ 직업을 찾다

03 in the near ________ 가까운 미래에

04 have a ________ 선택하다

C 알맞은 말 골라 쓰기

future choice job language

01 Teaching can be a difficult ________. 가르치는 것은 어려운 일일 수 있다.

02 We have a great ________. 우리에게는 희망 찬 미래가 있다.

03 I want to learn a new ________. 나는 새로운 언어를 배우고 싶다.

04 They think that's a good ________. 그들은 그것이 좋은 선택이라고 생각한다.

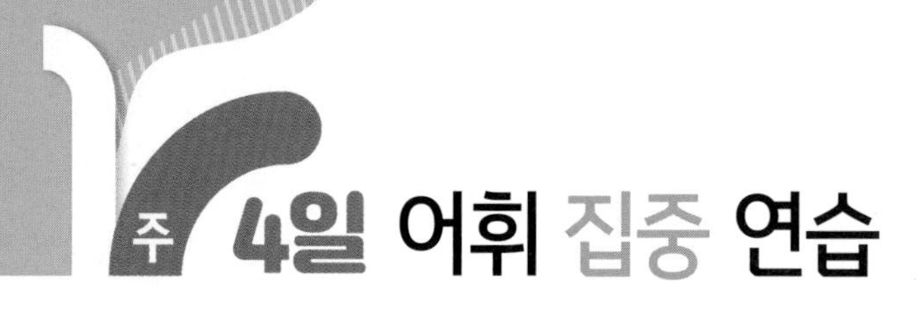

1주 4일 어휘 집중 연습

A 단어와 우리말 뜻 연결하기

01 future •

02 boring •

03 cheerful •

04 language •

05 choice •

06 surprised •

• a. 선택(권)

• b. 언어, 말

• c. 놀란

• d. 미래, 장래

• e. 쾌활한, 발랄한

• f. 재미없는, 지루한

B 밑줄 친 부분에 유의하여 알맞은 말 고르기

01 너는 어떤 종류의 <u>직업</u>을 갖고 싶니?

➔ What kind of (language / job) do you want to have?

02 그녀는 요즘에 <u>걱정이 있어</u> 보인다.

➔ She looks (worried / surprised) these days.

03 나는 그의 <u>선택</u>에 기뻤다.

➔ I was happy with his (future / choice).

04 그녀의 목소리는 항상 <u>쾌활하</u>다.

➔ Her voice is always (cheerful / boring).

Answers p. 5

C 빈칸에 알맞은 철자를 넣어 문장 완성하기

01 더 나은 미래를 위해 우리는 무엇을 해야 하는가?

→ What should we do for a better [ ][ ][ ][u][ ][e]?

02 나는 그가 내 이름을 알아서 놀랐다.

→ I was [s][ ][ ][ ][r][ ][ ][ ][d] he knew my name.

03 그녀의 새로운 일은 지루하고 힘들었다.

→ Her new job was [ ][ ][r][ ][n][ ] and hard.

04 그는 두 개의 언어를 말할 수 있다.

→ He can speak two [ ][a][ ][ ][u][ ][ ][ ][s].

1주 3~4일 누적 테스트 영어는 우리말로, 우리말은 영어로 쓰기

01	quiet		09	결석한, 없는	
02	talent		10	다른, 여러 가지의	
03	library		11	성적, 학년	
04	popular		12	대회, 시합	
05	worried		13	언어, 말	
06	cheerful		14	일, 직업, 역할	
07	choice		15	놀란	
08	future		16	재미없는, 지루한	

1주 5일 형용사

dark [daːrk]

[1]짙은 [2]어두운

반의어 bright 밝은, 빛나는

My bag is dark brown.
내 가방은 짙은 갈색이다.

The street was dark and quiet.
거리는 어둡고 조용했다.

fresh [freʃ]

[1]신선한 [2]상쾌한

It is easy to make fresh salad.
신선한 샐러드를 만드는 것은 쉽다.

Let's get some fresh air.
상쾌한 공기 좀 쐬자.

sick [sik]

아픈, 병든

유의어 ill

She can't go to school because she is sick.
그녀는 아파서 학교에 갈 수 없다.

weak [wiːk]

약한, 힘이 없는

반의어 strong 강한, 힘센

The bridge is weak and old.
그 다리는 약하고 낡았다.

어휘 기초 확인

Answers p. 5

A 영어는 우리말로, 우리말은 영어로 쓰기

01 weak

02 fresh

03 sick

04 dark

05 아픈, 병든

06 짙은, 어두운

07 신선한, 상쾌한

08 약한, 힘이 없는

B 빈칸에 알맞은 말 넣어 완성하기

01 a ______ night 어두운 밤

02 feel ______ 힘이 없다

03 ______ ideas 신선한 생각

04 a ______ animal 아픈 동물

C 알맞은 말 골라 쓰기

fresh	dark	weak	sick

01 It's getting ______ and cold. 어둡고 추워지고 있다.

02 I hope you are not ______ again. 나는 네가 다시 아프지 않기를 바란다.

03 She bought some ______ flowers. 그녀는 싱싱한 꽃을 좀 샀다.

04 He looks ______, but he is very strong. 그는 약해 보이지만, 매우 힘이 세다.

headache [hédèik]

두통

I have a headache.
나는 두통이 있다.

disease [dizíːz]

질병, 병

He has heart disease.
그는 심장병을 앓고 있다.

medicine [médəsin]

[1]약, 약물 [2]의학

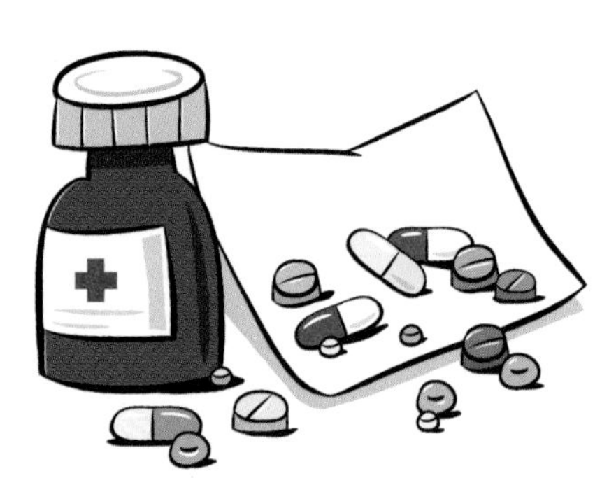

Take the medicine three times a day.
하루에 세 번 약을 먹어라.

I want to study medicine at university.
나는 대학에서 의학을 공부하고 싶다.

experience [ikspíəriəns]

경험

It is a new experience for me.
그것은 내게 새로운 경험이다.

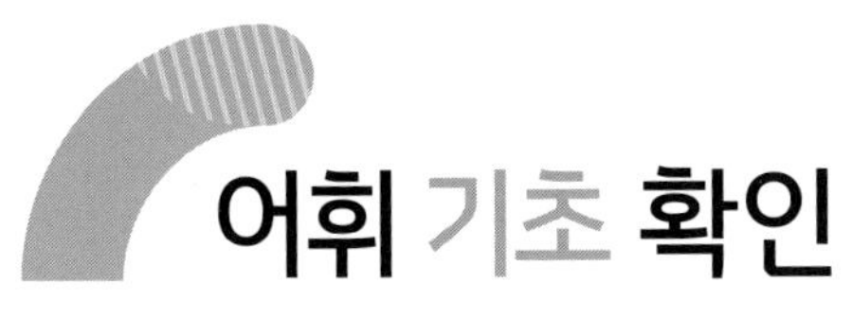

어휘 기초 확인

Answers p. 5

A 영어는 우리말로, 우리말은 영어로 쓰기

01 disease

02 medicine

03 headache

04 experience

05 경험

06 두통

07 질병, 병

08 약, 약물, 의학

B 빈칸에 알맞은 말 넣어 완성하기

01 ________ of teaching 가르친 경험

02 a bad ________ 심한 두통

03 cold ________ 감기약

04 die of ________ 병으로 죽다

C 괄호 안의 철자를 바르게 배열하여 쓰기

01 I finally found the ________ (demiince) bottle. 나는 마침내 약병을 찾았다.

02 She has ________ (cepxereine) in sales. 그녀는 판매 경험이 있다.

03 He was absent because of the ________ (hdaachee). 그는 두통 때문에 결석했다.

04 Doctors said I had a skin ________ (sisedae). 의사들은 내게 피부병이 있다고 말했다.

1주 5일 어휘 집중 연습

A 단어와 우리말 뜻 연결하기

01 dark •

02 medicine •

03 sick •

04 weak •

05 experience •

06 disease •

• a. 약, 약물, 의학

• b. 질병, 병

• c. 약한, 힘이 없는

• d. 경험

• e. 짙은, 어두운

• f. 아픈, 병든

B 밑줄 친 부분에 유의하여 알맞은 말 고르기

01 너는 신선한 토마토를 어디에서 샀니?

➜ Where did you get the (fresh / weak) tomatoes?

02 만약 네가 두통이 있으면, 이 약을 먹어라.

➜ If you have a (disease / headache), take this medicine.

03 제게 짙은 회색 셔츠를 보여 주세요.

➜ Show me the (dark / bright) gray shirt, please.

04 해외에서 공부한 것은 좋은 경험이었다.

➜ Studying abroad was a good (experience / medicine).

Answers p. 5

C 빈칸에 알맞은 철자를 넣어 문장 완성하기

01 아픈 개를 돌보는 방법을 말해 주세요.

➔ Tell me how to take care of the [ ][i][ ][ ] dog.

02 그 소나무는 오래되고 약하다.

➔ The pine tree is old and [ ][e][ ][ ].

03 나는 어떤 질병도 없다.

➔ I don't have any [d][ ][s][ ][ ][ ][ ].

04 너는 하루에 몇 번 그 약을 복용하니?

➔ How often do you take the [ ][e][ ][ ][c][ ][ ][ ]?

1주 4~5일 누적 테스트 영어는 우리말로, 우리말은 영어로 쓰기

01	language		09	걱정하는	
02	cheerful		10	일, 직업, 역할	
03	choice		11	미래, 장래	
04	surprised		12	재미없는, 지루한	
05	weak		13	약, 약물, 의학	
06	headache		14	아픈, 병든	
07	experience		15	짙은, 어두운	
08	disease		16	신선한, 상쾌한	

특강 | Creative Visual Review 창의·융합·코딩

공부한 어휘와 관련된 이야기를 읽으며 뜻을 확인해 봅시다.

My stomach feels funny.
(속이 미식거리네.)

뭐 잘못 먹었니? 근데,
feels funny라는 표현이 재미있네.
아픈 것을 나타내는 재미있는
표현을 알아볼까?

sick as a dog

I feel sick as a dog.
(나는 몸이 매우 아파요.)

우리가 '병든 닭처럼' 아프다고 표현하듯이, 영미 문화권에서는 심하게 아플 때 '개처럼' 아프다고 표현해요. 감기 몸살로 움직일 기운조차 없을 정도로 심하게 아플 때 이 표현을 사용해요. 건강할 때는 '말처럼' 건강하다는 healthy as a horse로 표현해요.

My throat feels funny.
(나는 목구멍이 간질간질해요.)

funny는 '재미있는'의 의미도 있지만, 목이 간질간질하거나 속이 미식거리는 등 신체 어느 곳이 이상한 느낌이 들 때 사용하기도 해요. 예를 들어, 속이 미식거릴 때는 My stomach feels funny.로 표현해요.

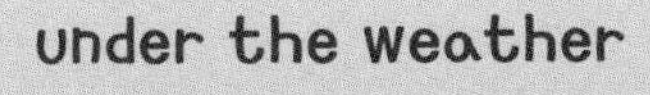

I feel under the weather today. I have a headache.
(나는 오늘 몸이 좋지 않아요. 머리가 아파요.)

몸이 좋지 않을 때는 under the weather를 쓰는데, 이것은 뱃사람들에게서 나온 표현이에요. 옛날에 항해를 하다가 날씨가 좋지 않아 뱃멀미가 나거나 몸이 좋지 않으면 갑판 아래로 내려가서 쉬었어요. 결국 날씨를 피한다는 under the weather가 몸이 안 좋다는 의미의 표현이 된 거죠.

A 그림에서 연상되는 단어와 뜻을 찾아 써 봅시다.

1

2

3

4

5

6

plan	angry	habit
different	language	invention

다른, 여러 가지의	언어, 말	화난, 성난
발명, 발명품	계획	버릇, 습관

Answers p. 6

B 우리말 뜻을 참고하여 철자를 바르게 배열해 봅시다.

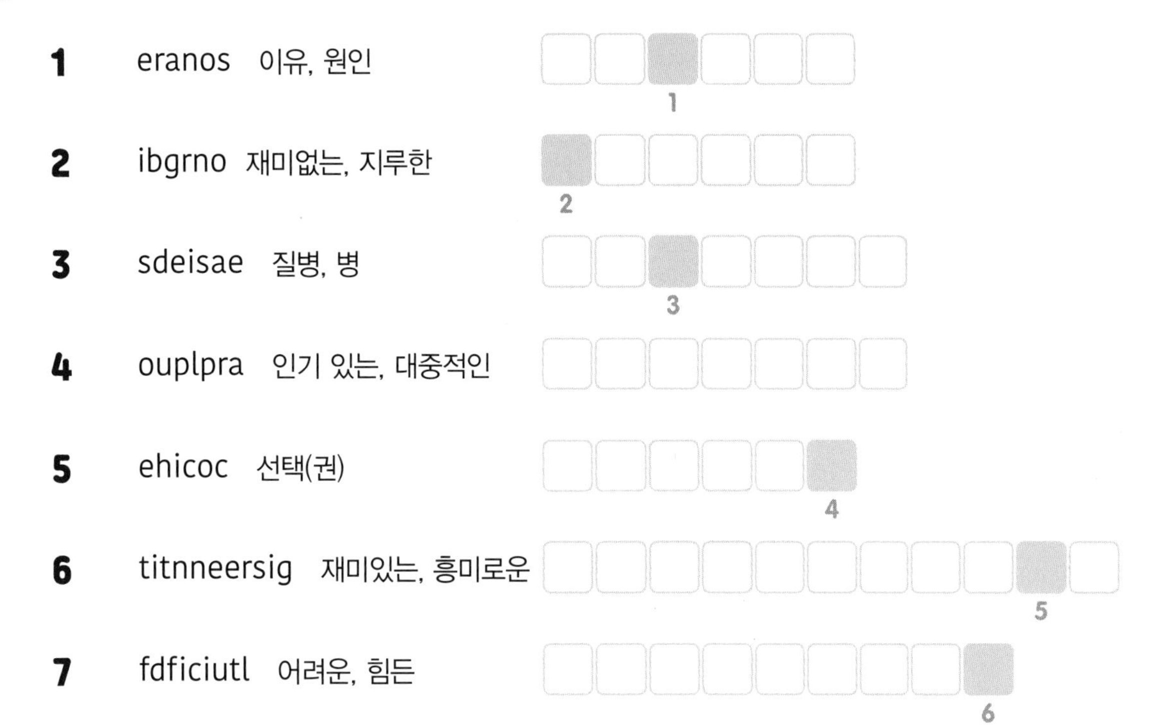

1 eranos 이유, 원인

2 ibgrno 재미없는, 지루한

3 sdeisae 질병, 병

4 ouplpra 인기 있는, 대중적인

5 ehicoc 선택(권)

6 titnneersig 재미있는, 흥미로운

7 fdficiutl 어려운, 힘든

번호 순서대로 철자를 배열하여 단어를 완성하고 우리말 뜻을 써 봅시다.

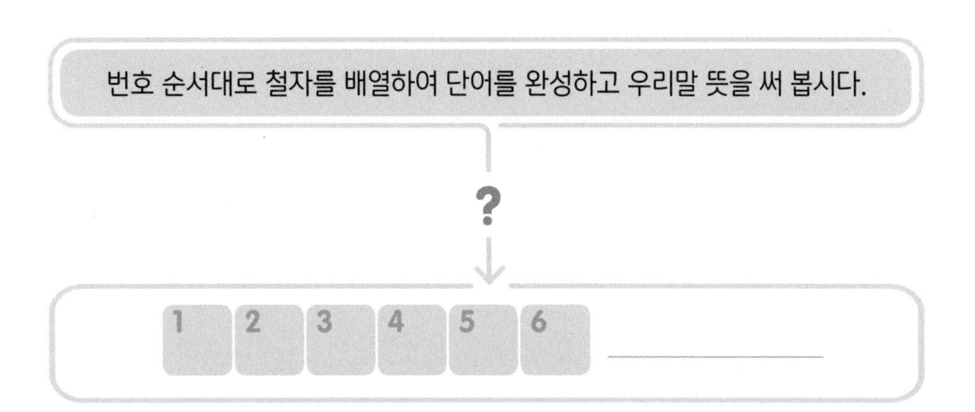

C 그림을 보고, 대화를 완성해 봅시다.

1

2

3

1 A: How was the movie? 그 영화는 어땠니?

B: It was a bit ______. 조금 지루했어.

2 A: You look ______ today. What's going on?

너는 오늘 쾌활해 보이네. 무슨 일이니?

B: I had a good ______ in English.

나는 영어에서 좋은 성적을 받았어.

3 A: Why were you ______ yesterday?

너는 어제 왜 결석했니?

B: I had a bad ______.

나는 두통이 심했어.

Answers p. 6

D 크로스워드 퍼즐을 완성해 봅시다.

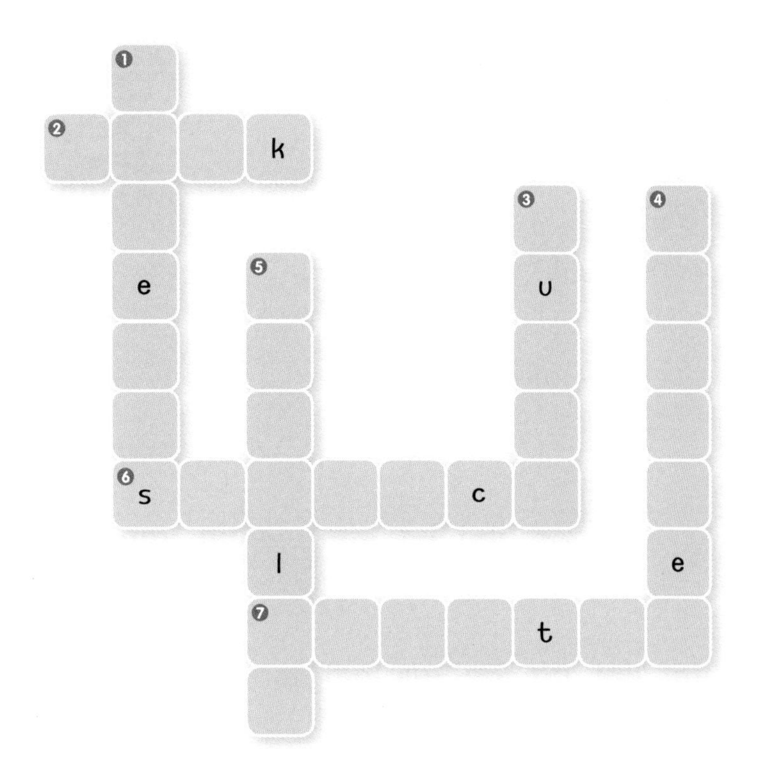

Down

1. Everyone has their own ________. 모든 사람은 자신의 재능이 있다.
3. a ________ library 조용한 도서관
4. Mina looks ________. 미나는 걱정 있어 보인다.
5. have a ________ 문제가 있다

Across

2. ________ blue 짙은 파란색
6. ________ 과목, 주제, 문제
7. I was ________ to return to school. 나는 학교로 돌아가서 신이 났다.

누구나 100점 테스트

[01-02] 그림을 보고, 우리말 뜻에 해당하는 단어를 써 봅시다.

01

인기 있는, 대중적인 :

02

놀란 :

[03-05] 밑줄 친 단어의 뜻으로 알맞은 것을 골라 봅시다.

03

Tell me the reason why you are sleepy.

a. 질문, 문제　b. 이유, 원인　c. 버릇, 습관　d. 계획

04

The bookstore is busy today.

a. 깨끗한, 깔끔한　b. 걱정하는　c. 바쁜, 혼잡한　d. 조용한

05

There are different fish.

a. 다른, 여러 가지의　b. 약한, 힘이 없는　c. 신선한, 상쾌한　d. 재미있는, 흥미로운

Answers p. 6

[06-07] 빈칸에 들어갈 알맞은 단어를 골라 봅시다.

06

Good ___________ bring good health. 좋은 습관은 좋은 건강을 가져온다.

a. plans b. exams c. talents d. habits

07

The ___________ of the story is war. 그 이야기의 주제는 전쟁이다.

a. grade b. subject c. contest d. choice

[08-10] 그림을 보고, 알맞은 단어를 골라 문장을 다시 써 봅시다.

08

The science class was (absent / interesting).

➡

09

He talks about his plans for the (language / future).

➡

10

Take the (medicine / invention) three times a day.

➡

2주 2주에는 무엇을 공부할까? 1

만화를 읽으며 단어의 뜻을 추측해 봅시다.

01 pet ☐ 반려동물 ☐ 이웃

02 volunteer ☐ 대통령, 회장 ☐ 자원봉사자

03 museum ☐ 박물관 ☐ 농장

04 shape ☐ 규칙, 원칙 ☐ 모양, 형태

05 unique ☐ 이상한, 낯선 ☐ 독특한

Answers p. 7

2주

06 upset ☐ 속상한, 마음이 상한 ☐ 긴장되는, 초조한

07 half ☐ 결과 ☐ 반, 절반

08 handsome ☐ 영리한, 독창적인 ☐ 잘생긴

09 secret ☐ 선물 ☐ 비밀

10 promise ☐ 약속 ☐ 조언, 충고

2주 2주에는 무엇을 공부할까? ❷

❷-1 그림을 보고 연상되는 단어를 골라 봅시다. Answers p. 7

01

☐ nervous ☐ farm

02

☐ afraid ☐ clever

03

☐ result ☐ culture

04

☐ safe ☐ correct

05

☐ tradition ☐ vacation

06

☐ lazy ☐ special

❷-2 그림을 보고 연상되는 단어를 찾아 써 봅시다.

Answers p. 7

01

02

03

04

05

06

useful　dangerous　present

rule　advice　alone

correct [kərékt]

옳은, 정확한

동사 바로잡다

반의어 wrong 틀린, 잘못된

The answer is correct.

그 답은 옳다.

handsome [hǽnsəm]

잘생긴

반의어 ugly 추한, 못생긴

The new student is handsome.

새로 온 학생은 잘생겼다.

gentle [dʒéntl]

1 상냥한 2 온화한

유의어 kind

My sister is gentle.

내 여동생은 상냥하다.

little [lítl]

1 작은, 어린 2 (양이) 거의 없는

유의어 small 작은

Look at that little bird!

저 작은 새를 봐!

There is little water to drink.

마실 물이 거의 없다.

어휘 기초 확인

Answers p. 7

A 영어는 우리말로, 우리말은 영어로 쓰기

01 handsome ____

02 little ____

03 gentle ____

04 correct ____

05 작은, 어린, (양이) 거의 없는 ____

06 상냥한, 온화한 ____

07 옳은, 정확한 ____

08 잘생긴 ____

B 빈칸에 알맞은 말 넣어 완성하기

01 my ________ cat 내 작은 고양이

02 a ________ wind 온화한 바람

03 a ________ man 잘생긴 남자

04 a ________ spelling 올바른 철자

C 알맞은 말 골라 쓰기

gentle	correct	little	handsome

01 She made a ________ decision. 그녀는 올바른 결정을 내렸다.

02 He is the most ________ boy in my class. 그는 우리 반에서 가장 잘생긴 소년이다.

03 We lived in a ________ wooden house. 우리는 작은 나무로 된 집에 살았다.

04 The woman has a ________ voice. 그 여자는 상냥한 목소리를 가졌다.

result [rizʌ́lt]

결과

반의어 cause 원인, 이유

He was happy with the result.

그는 그 결과에 행복해했다.

neighbor [néibər]

이웃

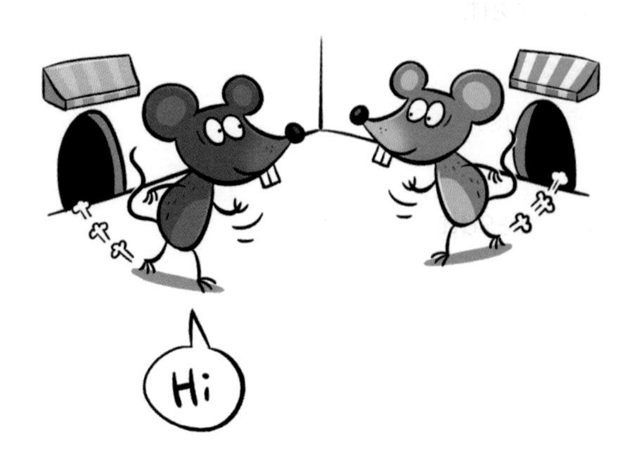

I met my new neighbor.

나는 새 이웃을 만났다.

half [hæf]

반, 절반

형용사 반[절반]의

She cut the apple in half.

그녀는 사과를 반으로 잘랐다.

volunteer [vɑ̀ləntíər]

자원봉사자

동사 자원하다

The volunteer helped the old lady.

자원봉사자가 노부인을 도왔다.

어휘 기초 확인

Answers p. 7

A 영어는 우리말로, 우리말은 영어로 쓰기

01 neighbor [   ]

02 half [   ]

03 volunteer [   ]

04 result [   ]

05 자원봉사자 [   ]

06 결과 [   ]

07 반, 절반 [   ]

08 이웃 [   ]

2주

1일

B 빈칸에 알맞은 말 넣어 완성하기

01 ________ of the water 물의 절반

02 a good ________ 좋은 이웃

03 the ________ group 자원봉사자 단체

04 the best ________ 최고의 결과

C 괄호 안의 철자를 바르게 배열하여 쓰기

01 This book is the ________ of hard work. 이 책은 열심히 일한 결과이다.
(elsrtu)

02 She left at ________ past three. 그녀는 세시 반에 떠났다.
(aflh)

03 My ________ has a beautiful garden. 내 이웃은 아름다운 정원을 가지고 있다.
(bigerhno)

04 How long has he worked as a ________? 그는 자원봉사자로 얼마나 오래 일했니?
(nelrotvue)

2주 1일 어휘 집중 연습

A 단어와 우리말 뜻 연결하기

01	volunteer	a. 반, 절반
02	neighbor	b. 잘생긴
03	correct	c. 이웃
04	little	d. 작은, 어린, (양이) 거의 없는
05	half	e. 자원봉사자
06	handsome	f. 옳은, 정확한

B 밑줄 친 부분에 유의하여 알맞은 말 고르기

01 너는 정확한 암호를 입력해야 한다.

➔ You should enter the (correct / little) password.

02 의사가 내게 결과를 말해 주었다.

➔ The doctor told me the (half / result).

03 우리는 다른 사람들에게 상냥해야 한다.

➔ We must be (handsome / gentle) with others.

04 그는 자원봉사자로 그 클럽에 가입했다.

➔ He joined the club as a (volunteer / neighbor).

Answers p. 7

C 빈칸에 알맞은 철자를 넣어 문장 완성하기

01 아기는 작은 방에서 자고 있다.

→ The baby is sleeping in a [ ][i][ ][ ][ ][e] room.

02 그녀는 종종 이웃과 차를 마신다.

→ She often has a tea with her [ ][e][ ][ ][h][ ][o][ ].

03 저 잘생긴 남자는 배우이다.

→ That [h][ ][n][ ][s][ ][ ][ ] man is an actor.

04 그들은 일년 반 전에 떠났다.

→ They left one and a [ ][a][ ][ ] years ago.

2주 1일 누적 테스트 영어는 우리말로, 우리말은 영어로 쓰기

01	half		09	작은, 어린, (양이) 거의 없는	
02	gentle		10	결과	
03	volunteer		11	잘생긴	
04	neighbor		12	자원봉사자	
05	correct		13	반, 절반	
06	handsome		14	상냥한, 온화한	
07	little		15	옳은, 정확한	
08	result		16	이웃	

형용사

late [leit]

늦은, 지각한

부사 늦게

반의어 early 이른, 빠른

She's often late for a class.

그녀는 수업에 종종 늦는다.

lazy [léizi]

게으른, 나태한

반의어 diligent 부지런한

My younger brother is lazy.

내 남동생은 게으르다.

nervous [nə́ːrvəs]

긴장되는, 초조한

I feel nervous before an exam.

나는 시험 전에 긴장한다.

upset [ʌpsét]

속상한, 마음이 상한

동사 속상하게 만들다[하다]

Dad was upset with the news.

아빠는 뉴스에 속이 상하셨다.

어휘 기초 확인

Answers p. 8

A 영어는 우리말로, 우리말은 영어로 쓰기

01 nervous

02 late

03 upset

04 lazy

05 속상한, 마음이 상한

06 게으른, 나태한

07 긴장되는, 초조한

08 늦은, 지각한

B 빈칸에 알맞은 말 넣어 완성하기

01 a ______ person 게으른 사람

02 ______ afternoon 늦은 오후

03 in a ______ tone 속상한 말투로

04 a ______ day 초조한 하루

C 괄호 안의 철자를 바르게 배열하여 쓰기

01 She got ______ (eputs) during the game. 그녀는 경기 중에 마음이 상했다.

02 Don't be ______ (elta) for dinner. 저녁 식사에 늦지 마라.

03 I was too ______ (oevsnru) to speak. 나는 너무 긴장해서 말을 할 수 없었다.

04 The ______ (yzla) man slept all day. 그 게으른 남자는 온종일 잠을 잤다.

advice [ædváis]

조언, 충고

동사 advise 조언하다

The doctor gave me some advice.

의사가 내게 조언을 해 주었다.

shape [ʃeip]

모양, 형태

The donut has a heart shape.

그 도넛은 하트 모양이다.

promise [prámis]

약속

동사 약속하다

We made a promise to each other.

우리는 서로 약속했다.

rule [ruːl]

규칙, 원칙

You must follow the rules.

너는 규칙을 따라야 한다.

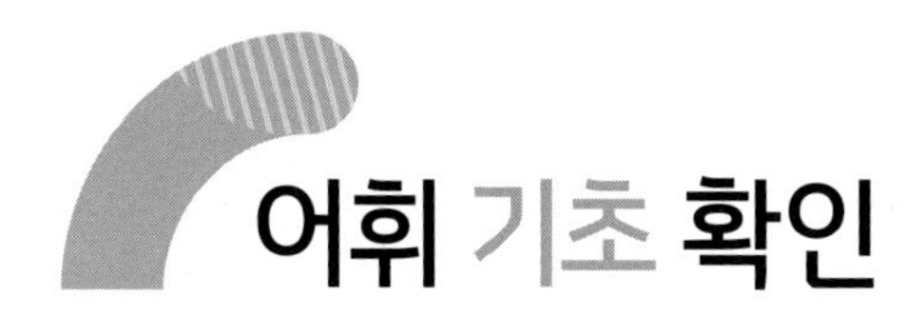

어휘 기초 확인

Answers p. 8

A 영어는 우리말로, 우리말은 영어로 쓰기

01 promise

02 shape

03 advice

04 rule

05 조언, 충고

06 약속

07 규칙, 원칙

08 모양, 형태

B 빈칸에 알맞은 말 넣어 완성하기

01 a bird ________ 새 모양

02 a piece of ________ 충고 하나

03 the basic ________ 기본적인 규칙

04 a new ________ 새로운 약속

C 알맞은 말 골라 쓰기

promise	rule	shape	advice

01 I liked the ________ of the table. 나는 탁자의 모양이 마음에 들었다.

02 He kept his ________ to call us. 그는 우리에게 전화하겠다는 약속을 지켰다.

03 The school will change the ________ next year. 학교는 내년에 그 규칙을 변경할 것이다.

04 We're ready to take her ________. 우리는 그녀의 조언을 받아들일 준비가 됐다.

2주 2일 어휘 집중 연습

A 단어와 우리말 뜻 연결하기

01	advice	a. 게으른, 나태한
02	lazy	b. 규칙, 원칙
03	upset	c. 조언, 충고
04	promise	d. 긴장되는, 초조한
05	rule	e. 속상한, 마음이 상한
06	nervous	f. 약속

B 밑줄 친 부분에 유의하여 알맞은 말 고르기

01 학생들이 눈 때문에 지각했다.

➔ Students were (upset / late) because of the snow.

02 새로운 규칙은 아주 간단했다.

➔ The new (rule / advice) was very simple.

03 그 게으른 학생은 시험에 또 떨어졌다.

➔ The (lazy / nervous) student failed the exam again.

04 달은 계속 형태가 변화한다.

➔ The moon keeps changing its (shape / promise).

Answers p. 8

C 빈칸에 알맞은 철자를 넣어 문장 완성하기

01 왜 네 부모님이 속상해 하시는지 내게 말해 줘.

→ Tell me why your parents are [ ][p][s][ ][ ].

02 우리는 지켜야 할 약속이 있다.

→ We have a [p][ ][ ][m][ ][ ][e] to keep.

03 Ted는 면접에 긴장되었다.

→ Ted got [n][ ][r][ ][o][ ][ ] about the interview.

04 엄마의 조언은 매우 큰 도움이 되었다.

→ My mom's [ ][d][ ][i][c][ ] was a great help.

2주 2일

2주 1~2일 누적 테스트 영어는 우리말로, 우리말은 영어로 쓰기

01	shape		09	늦은, 지각한	
02	gentle		10	잘생긴	
03	upset		11	반, 절반	
04	result		12	규칙, 원칙	
05	nervous		13	약속	
06	volunteer		14	옳은, 정확한	
07	little		15	이웃	
08	advice		16	게으른, 나태한	

careful [kɛ́ərfəl]

주의 깊은, 신중한

You should be careful.

너는 조심해야 한다.

safe [seif]

안전한

반의어 unsafe 위험한

명사 safety 안전

It's safe to wear a helmet.

헬멧을 쓰는 것이 안전하다.

dangerous [déindʒərəs]

위험한

명사 danger 위험

A tiger is a dangerous animal.

호랑이는 위험한 동물이다.

useful [júːsfəl]

쓸모 있는, 유용한

반의어 useless 쓸모 없는

This backpack is very useful.

이 배낭은 아주 유용하다.

어휘 기초 확인

Answers p. 8

A 영어는 우리말로, 우리말은 영어로 쓰기

01 safe

02 useful

03 careful

04 dangerous

05 주의 깊은, 신중한

06 안전한

07 위험한

08 쓸모 있는, 유용한

B 빈칸에 알맞은 말 넣어 완성하기

01 ________ information 유용한 정보

02 a ________ place 안전한 장소

03 a ________ road 위험한 도로

04 a ________ woman 신중한 여자

C 알맞은 말 골라 쓰기

useful	dangerous	careful	safe

01 Firefighters do a ________ job. 소방관들은 위험한 일을 한다.

02 She only felt ________ in her home. 그녀는 오직 집에서만 안전하다고 느꼈다.

03 Be ________ not to drop the plate! 접시를 떨어뜨리지 않도록 주의해라!

04 The lessons are ________ for students. 그 수업은 학생들에게 유용하다.

farm [fɑːrm]

농장

비교 farmer 농부

My father works on the farm.
내 아버지는 농장에서 일하신다.

environment [inváiərənmənt]

환경

Let's save our environment.
우리의 환경을 살리자.

museum [mjuzíːəm]

박물관

He likes to visit the museums.
그는 박물관을 방문하는 것을 좋아한다.

item [áitəm]

1 물품, 상품 2 항목

The item is on sale.
그 상품은 할인 중이다.

I reviewed all the items on the list.
나는 목록의 모든 항목을 검토했다.

어휘 기초 확인

Answers p. 9

A 영어는 우리말로, 우리말은 영어로 쓰기

01 item

02 farm

03 environment

04 museum

05 환경

06 물품, 상품, 항목

07 박물관

08 농장

B 빈칸에 알맞은 말 넣어 완성하기

01 ______ animals 농장 동물들

02 a news ______ 뉴스 항목

03 an art ______ 미술관

04 home ______ 가정 환경

C 괄호 안의 철자를 바르게 배열하여 쓰기

01 The tree is growing in a good ______. 그 나무는 좋은 환경에서 자라고 있다.
(nrnmovetien)

02 This ______ is very popular. 이 상품은 아주 인기가 많다.
(tmie)

03 The ______ is closed on Tuesdays. 그 박물관은 화요일마다 문을 닫는다.
(usmume)

04 The small ______ was next to the lake. 작은 농장은 호수 옆에 있었다.
(rmfa)

2주 3일 어휘 집중 연습

A 단어와 우리말 뜻 연결하기

01	careful	a. 박물관
02	farm	b. 물품, 상품, 항목
03	item	c. 쓸모 있는, 유용한
04	museum	d. 위험한
05	dangerous	e. 농장
06	useful	f. 주의 깊은, 신중한

B 밑줄 친 부분에 유의하여 알맞은 말 고르기

01 플라스틱은 환경에 해롭다.

→ Plastic is bad for the (environment / farm).

02 그녀는 내가 안전한 여행을 하길 바랐다.

→ She wished me a (safe / careful) trip.

03 눈이 올 때 운전하는 것은 아주 위험할 수 있다.

→ Driving in snow can be very (dangerous / useful).

04 그 고객은 이 상품을 구매하길 원했다.

→ The customer wanted to buy this (museum / item).

Answers p. 9

C 빈칸에 알맞은 철자를 넣어 문장 완성하기

01 그 박물관은 늘 방문자가 많다.

→ The [ ][u][ ][e][u][ ] always has many visitors.

02 선생님은 내게 유용한 조언을 해 주셨다.

→ The teacher gave me a [ ][s][ ][ ][u][ ] tip.

03 그 가족은 주말마다 농장을 방문한다.

→ The family visits the [ ][a][ ][ ] on weekends.

04 너는 해변에서 조심해야 한다.

→ You must be [ ][a][r][ ][ ][u][ ] on the beach.

2주 3일

2주 2~3일 누적 테스트 영어는 우리말로, 우리말은 영어로 쓰기

01	useful	
02	lazy	
03	promise	
04	environment	
05	dangerous	
06	late	
07	item	
08	rule	
09	속상한, 마음이 상한	
10	안전한	
11	조언, 충고	
12	박물관	
13	모양, 형태	
14	주의 깊은, 신중한	
15	긴장되는, 초조한	
16	농장	

afraid [əfréid]

두려워하는, 걱정하는

유의어 scared

The boy is afraid of spiders.
그 소년은 거미를 두려워한다.

strange [streindʒ]

[1]이상한 [2]낯선

The man wears a strange coat.
그 남자는 이상한 코트를 입었다.

She got lost in a strange city.
그녀는 낯선 도시에서 길을 잃었다.

clever [klévər]

[1]영리한 [2]독창적인

유의어 smart

I have a clever dog.
나는 영리한 개를 키운다.

unique [juːníːk]

독특한

Your hat looks very unique.
네 모자는 아주 독특해 보인다.

어휘 기초 확인

Answers p. 9

A 영어는 우리말로, 우리말은 영어로 쓰기

01 unique ______

02 afraid ______

03 clever ______

04 strange ______

05 영리한, 독창적인 ______

06 이상한, 낯선 ______

07 두려워하는, 걱정하는 ______

08 독특한 ______

B 빈칸에 알맞은 말 넣어 완성하기

01 a ______ color 독특한 색깔

02 ______ animals 영리한 동물들

03 a ______ place 낯선 장소

04 feel ______ 두려움을 느끼다

C 괄호 안의 철자를 바르게 배열하여 쓰기

01 I was ______ to open the box. 나는 상자를 열기가 두려웠다.
(dafari)

02 The scientist's ideas were ______. 과학자의 아이디어는 독창적이었다.
(recvle)

03 He heard a ______ sound in the distance. 그는 멀리서 나는 이상한 소리를 들었다.
(rnetasg)

04 The cat has a ______ name. 그 고양이는 독특한 이름을 가지고 있다.
(qiueun)

tradition [trədíʃən]

전통, 관습

형용사 traditional 전통의

The man keeps the tradition.
그 남자는 전통을 지킨다.

culture [kʌ́ltʃər]

문화

형용사 cultural 문화의

Each culture is different from each other.
각각의 문화는 서로 다르다.

present [prizént]

선물

형용사 참석[출석]한, 현재의

He bought a present for his mom.
그는 엄마에게 드릴 선물을 샀다.

secret [síːkrit]

비밀

형용사 비밀의

She will keep a secret.
그녀는 비밀을 지킬 것이다.

어휘 기초 확인

Answers p. 9

A 영어는 우리말로, 우리말은 영어로 쓰기

01 tradition

02 secret

03 culture

04 present

05 선물

06 전통, 관습

07 비밀

08 문화

B 빈칸에 알맞은 말 넣어 완성하기

01 popular ____________ 대중문화

02 a birthday ____________ 생일 선물

03 a long ____________ 오랜 전통

04 a top ____________ 일급비밀

C 알맞은 말 골라 쓰기

culture	present	tradition	secret

01 The boy has no ____________ from his parents. 그 소년은 부모님에게 비밀이 없다.

02 She decided to follow her family ____________. 그녀는 가족 전통을 따르기로 결정했다.

03 He's interested in Korean ____________. 그는 한국 문화에 관심이 있다.

04 I planned to send her a ____________. 나는 그녀에게 선물을 보낼 계획이었다.

2주 4일 어휘 집중 연습

A 단어와 우리말 뜻 연결하기

01 unique •　　　　• a. 비밀

02 secret •　　　　• b. 전통, 관습

03 afraid •　　　　• c. 두려워하는, 걱정하는

04 strange •　　　　• d. 독특한

05 tradition •　　　　• e. 문화

06 culture •　　　　• f. 이상한, 낯선

B 밑줄 친 부분에 유의하여 알맞은 말 고르기

01 영리한 소녀는 영어를 빠르게 배웠다.

➔ The (unique / clever) girl learned English fast.

02 그 도시는 재즈 음악의 전통을 가지고 있다.

➔ The city has a (tradition / culture) of jazz music.

03 어린 소년은 혼자 나가는 것을 두려워하지 않았다.

➔ The young boy wasn't (afraid / strange) of going out alone.

04 우리가 그에게 크리스마스 선물로 무엇을 사주면 좋을까?

➔ What can we get him for a Christmas (secret / present)?

Answers p. 10

C 빈칸에 알맞은 철자를 넣어 문장 완성하기

01 그녀는 나와 공유할 비밀이 있었다.

➔ She had a s _ _ r _ t to share with me.

02 그 가수는 아주 독특한 목소리를 가지고 있다.

➔ The singer has a very _ n _ _ u _ voice.

03 이상한 남자가 내 옆에 앉았다.

➔ A _ _ r a _ g _ man sat next to me.

04 그는 미국 문화에 대해 알고 싶다.

➔ He wants to learn about American c _ _ t _ r _.

2주 4일

2주 3~4일 누적 테스트 영어는 우리말로, 우리말은 영어로 쓰기

01	careful	
02	secret	
03	afraid	
04	safe	
05	present	
06	strange	
07	farm	
08	museum	
09	영리한, 독창적인	
10	쓸모 있는, 유용한	
11	전통, 관습	
12	환경	
13	문화	
14	위험한	
15	물품, 상품, 항목	
16	독특한	

alone [əlóun]

[1]혼자인, 혼자 [2]외로운

부사 홀로

She was alone during the break.
그녀는 쉬는 시간에 혼자였다.

wise [waiz]

현명한, 지혜로운

반의어 foolish 어리석은
명사 wisdom 지혜, 슬기

We call him a wise man.
우리는 그를 현명한 남자라고 부른다.

special [spéʃəl]

특별한

This is a special cake for me.
이것은 나를 위한 특별한 케이크이다.

friendly [fréndli]

친절한, 다정한

반의어 unfriendly 적대적인

My classmates are friendly.
내 반 친구들은 다정하다.

어휘 기초 확인

Answers p. 10

A 영어는 우리말로, 우리말은 영어로 쓰기

01 friendly ______

02 wise ______

03 alone ______

04 special ______

05 현명한, 지혜로운 ______

06 특별한 ______

07 친절한, 다정한 ______

08 혼자인, 혼자, 외로운 ______

B 빈칸에 알맞은 말 넣어 완성하기

01 a ______ friend 특별한 친구

02 feel ______ 외롭게 느끼다

03 ______ smile 다정한 미소

04 a ______ answer 현명한 대답

C 알맞은 말 골라 쓰기

special	friendly	wise	alone

01 Ms. Smith is a warm and ______ person. Smith씨는 따뜻하고 친절한 사람이다.

02 It is ______ to follow her advice. 그녀의 조언을 따르는 것이 현명하다.

03 He'll sell the bags at a ______ price. 그는 가방을 특별가로 판매할 것이다.

04 She doesn't have a chance to be ______. 그녀는 혼자 있을 기회가 없다.

pet [pet]

반려동물

His pet is a black cat.

그의 반려동물은 검은 고양이다.

president [prézədənt]

1 대통령 2 회장

The president is giving a speech.

대통령이 연설하고 있다.

country [kʌ́ntri]

1 나라 2 시골

There are 195 countries in the world.

전 세계에는 195개의 국가가 있다.

We decided to live in the country.

우리는 시골에서 살기로 결심했다.

vacation [veikéiʃən]

방학, 휴가

They are on summer vacation.

그들은 여름휴가를 보내고 있다.

어휘 기초 확인

Answers p. 10

A 영어는 우리말로, 우리말은 영어로 쓰기

01 president

02 vacation

03 pet

04 country

05 나라, 시골

06 반려동물

07 대통령, 회장

08 방학, 휴가

B 빈칸에 알맞은 말 넣어 완성하기

01 a ________ dog 반려견

02 winter ________ 겨울 방학

03 a foreign ________ 외국

04 a new ________ 신임 대통령

C 괄호 안의 철자를 바르게 배열하여 쓰기

01 Emma was a ________ of the school. Emma는 학교 회장이었다.
(tipdernse)

02 I enjoy a quiet life in the ________. 나는 시골에서의 조용한 삶을 즐긴다.
(rotucyn)

03 He's going to learn guitar during ________. 그는 방학 동안 기타를 배울 것이다.
(iactvnao)

04 The man works as a ________ sitter. 그 남자는 반려동물을 돌보는 일을 한다.
(ept)

2주 5일 어휘 집중 연습

A 단어와 우리말 뜻 연결하기

01	country •	• a. 반려동물
02	alone •	• b. 나라, 시골
03	vacation •	• c. 특별한
04	special •	• d. 방학, 휴가
05	pet •	• e. 현명한, 지혜로운
06	wise •	• f. 혼자인, 혼자, 외로운

B 밑줄 친 부분에 유의하여 알맞은 말 고르기

01 그녀의 꿈은 대통령이 되는 것이었다.

→ Her dream was to become (country / president).

02 그 어린 소녀는 어제 반려동물을 잃어버렸다.

→ The young girl lost her (pet / vacation) yesterday.

03 학급 모두에게 친절하도록 노력해라.

→ Try to be (friendly / alone) to everyone in the class.

04 그 현명한 남자가 쉽게 그 문제를 풀었다.

→ The (special / wise) man easily solved the problem.

Answers p. 10

C 빈칸에 알맞은 철자를 넣어 문장 완성하기

01 아빠는 특별한 날을 위해 케이크를 구우셨다.

→ Dad baked a cake for the s p _ _ i _ _ day.

02 그 나라는 긴 전쟁의 역사를 가지고 있다.

→ The _ _ u n _ _ y has a long history of wars.

03 그는 새로 전학 간 학교에서 외로웠다.

→ He felt a _ _ n _ at the new school.

04 우리는 긴 휴가를 끝내고 집으로 돌아왔다.

→ We've returned home after a long _ a _ a _ i _ _.

2주 4~5일 누적 테스트 영어는 우리말로, 우리말은 영어로 쓰기

01	clever	
02	vacation	
03	tradition	
04	country	
05	wise	
06	unique	
07	friendly	
08	culture	
09	특별한	
10	이상한, 낯선	
11	반려동물	
12	선물	
13	대통령, 회장	
14	비밀	
15	두려워하는, 걱정하는	
16	혼자인, 혼자, 외로운	

특강 | Creative Visual Review 창의·융합·코딩

공부한 어휘와 관련된 이야기를 읽으며 뜻을 확인해 봅시다.

잠깐! 여기 싱가포르에서는 껌을 씹으면 안 돼. You need to follow the rules.
(넌 규칙을 따라야 해.)

앗! 그렇구나.
세계 여러 나라에는 어떠한 이색 법이 있는지 알아볼까?

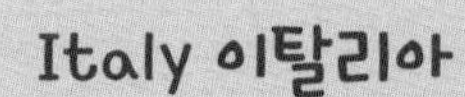

Pets must wear seat belts.
(반려동물은 안전띠를 착용해야 해요.)

이탈리아에서는 반려동물도 차량에 탑승하면 안전띠를 꼭 착용해야 해요. 안전 운전과 반려동물의 부상을 막기 위한 제도라고 해요. 이 외에도 미용을 위해 반려동물의 발톱을 자르거나 목걸이를 착용해도 처벌받을 수 있다고 해요.

You must not keep goldfish alone.
(금붕어를 혼자 두어서는 안 돼요.)

스위스에서는 금붕어를 한 마리만 키우는 것을 법으로 금지하고 있어요. 무리를 지어 사는 습성이 있는 금붕어가 상실감이나 고독감을 느끼는 것을 방지하기 위해서라고 해요. 금붕어뿐만 아니라 무리 생활을 하는 토끼나 앵무새와 같은 사회적인 동물은 반드시 최소 한 쌍을 함께 길러야 한다고 해요.

Be careful! It's not safe to wear seat belts.
(조심해요! 안전띠를 착용하는 것은 안전하지 않아요.)

에스토니아에서는 빙판 도로에서 안전띠를 매는 것을 금지하고 있어요. 주행 중 얼음이 깨져 차가 침수될 것을 대비해 빨리 탈출할 수 있게 하기 위함이라고 해요. 또 저속 주행은 오히려 얼음이 깨질 위험이 있어 시속 70 km 정도의 빠른 속도로 주행해야 한다고 해요.

A 그림에서 연상되는 단어와 뜻을 찾아 써 봅시다.

1

2

3

4

5

6

late	environment	unique
afraid	result	friendly

친절한, 다정한	독특한	두려워하는, 걱정하는
결과	늦은, 지각한	환경

Answers p. 11

B 우리말 뜻을 참고하여 철자를 바르게 배열해 봅시다.

1 oasedugrn 위험한

2 daheonms 잘생긴

3 nleao 혼자인, 혼자, 외로운

4 etuvrlnoe 자원봉사자

5 csleapi 특별한

6 ecetsr 비밀

7 tpeus 속상한, 마음이 상한

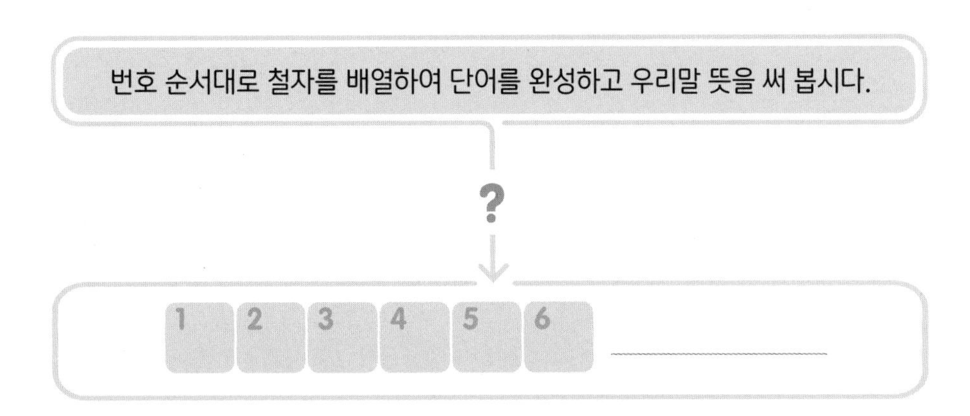

특강 | Creative Visual Review 창의·융합·코딩

C 그림을 보고, 대화를 완성해 봅시다.

1

2

3

1 A: What did you do on __________? 너는 휴가 때 무엇을 했니?

B: I visited the science __________. 나는 과학 박물관을 방문했어.

2 A: Do you have a __________?

너는 반려동물을 키우니?

B: Sure. I have a very __________ dog.

물론이지. 나는 아주 영리한 개를 키워.

3 A: Does your grandfather live in the __________?

네 할아버지는 시골에 사시니?

B: Yes. He has a __________ __________.

응. 그는 작은 농장을 가지고 계셔.

Answers p. 11

D 크로스워드 퍼즐을 완성해 봅시다.

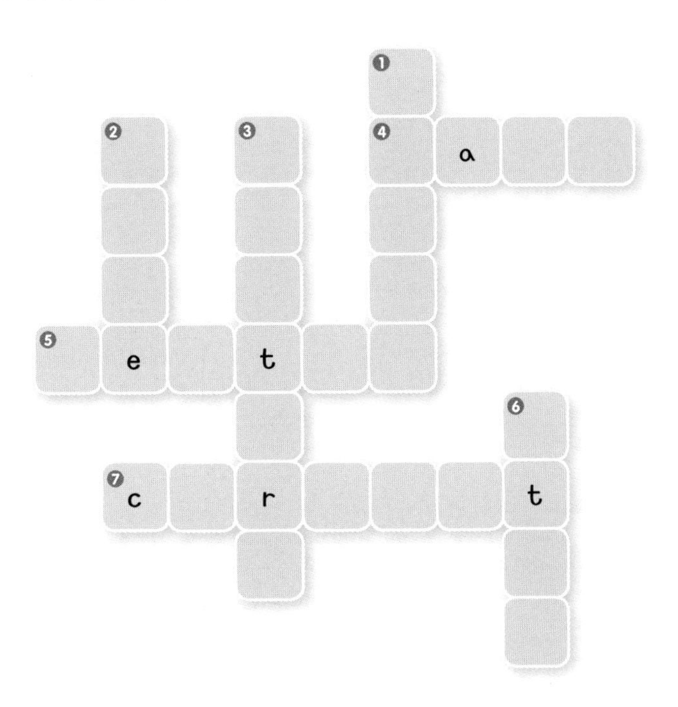

Down

1. a round ________ 둥근 모양
2. 현명한, 지혜로운 : ________
3. He wants to learn a different ________. 그는 다른 문화를 배우고 싶다.
6. a sale ________ 할인 상품

Across

4. She ate ________ of the cake. 그녀는 케이크의 절반을 먹었다.
5. 상냥한, 온화한 : ________
7. wrong 틀린, 잘못된 ↔ ________ 옳은, 정확한

2주 특강

누구나 100점 테스트

[01-02] 그림을 보고, 우리말 뜻에 해당하는 단어를 써 봅시다.

01

선물 :

02

게으른, 나태한 :

[03-05] 밑줄 친 단어의 뜻으로 알맞은 것을 골라 봅시다.

03

Ted got <u>nervous</u> about the interview.

a. 작은, 어린　　b. 긴장되는, 초조한　　c. 독특한　　d. 늦은, 지각한

04

She decided to follow her family <u>tradition</u>.

a. 규칙, 원칙　　b. 나라, 시골　　c. 전통, 관습　　d. 문화

05

She wished me a <u>safe</u> trip.

a. 안전한　　b. 상냥한, 온화한　　c. 친절한, 다정한　　d. 이상한, 낯선

[06-07] 빈칸에 들어갈 알맞은 단어를 골라 봅시다.

06

He kept his ____________ to call us. 그는 우리에게 전화하겠다는 약속을 지켰다.

a. item b. promise c. secret d. rule

07

The man wears a ____________ coat. 그 남자는 이상한 코트를 입었다.

a. late b. little c. handsome d. strange

[08-10] 그림을 보고, 알맞은 단어를 골라 문장을 다시 써 봅시다.

08

The (president / environment) is giving a speech.

➲

09

This backpack is very (upset / useful).

➲

10

I met my new (neighbor / advice).

➲

Hi

3주 3주에는 무엇을 공부할까? 1

만화를 읽으며 단어의 뜻을 추측해 봅시다.

01 thin ☐ (값이) 싼 ☐ 마른, 얇은

02 airport ☐ 공항 ☐ 항공편, 여행, 비행

03 huge ☐ 거대한, 막대한 ☐ 평평한

04 holiday ☐ 휴가, 방학, 공휴일 ☐ 연설, 담화

05 island ☐ 사막 ☐ 섬

06 tour ☐ 여행, 관광 ☐ 값, 가격

Answers p. 12

3주

07 asleep ☐ 간단한, 단순한 ☐ 잠이 든, 자고 있는

08 brave ☐ 용감한, 용기 있는 ☐ 못생긴, 추한

09 famous ☐ 심각한, 진지한 ☐ 유명한

10 delicious ☐ 궁금한, 호기심이 많은 ☐ 아주 맛있는

11 recipe ☐ 요리법, 조리법 ☐ 식사, 끼니

12 terrible ☐ 다친, 기분이 상한 ☐ 끔찍한, 심한

3주 3주에는 무엇을 공부할까? ❷

❷-1 그림을 보고 연상되는 단어를 골라 봅시다.

Answers p. 12

01

☐ deep ☐ cheap

02

☐ warm ☐ sharp

03

☐ serious ☐ cheap

04

☐ flight ☐ speech

05

☐ flat ☐ brave

06

☐ simple ☐ hurt

❷-2 그림을 보고 연상되는 단어를 찾아 써 봅시다.

Answers p. 12

01

02

03

04

05

06

passport	ugly	heavy
musician	desert	trouble

thin [θin]

[1]마른 [2]얇은

반의어 fat 뚱뚱한 thick 굵은, 두꺼운

He is tall and thin. 그는 키가 크고 말랐다.

The sticks were thin. 막대기들은 얇았다.

huge [hjuːdʒ]

거대한, 막대한

Look at the huge ship.

거대한 배를 봐.

cheap [tʃiːp]

(값이) 싼

반의어 expensive 비싼

The socks are very cheap.

양말 가격이 아주 싸다.

deep [diːp]

깊은

The swimming pool is deep.

수영장은 깊다.

어휘 기초 확인

Answers p. 12

A 영어는 우리말로, 우리말은 영어로 쓰기

01 cheap

02 deep

03 thin

04 huge

05 마른, 얇은

06 거대한, 막대한

07 (값이) 싼

08 깊은

B 빈칸에 알맞은 말 넣어 완성하기

01 ______ books 얇은 책들

02 a ______ jacket 싼 재킷

03 a ______ lake 깊은 호수

04 a ______ house 대저택

C 알맞은 말 골라 쓰기

cheap deep thin huge

01 The rabbit hole was ______ and dark. 그 토끼굴은 깊고 어두웠다.

02 I'm scared of the ______ dog. 나는 그 거대한 개가 무섭다.

03 We ate ______ pieces of pizza. 우리는 얇은 피자 조각을 먹었다.

04 His new shoes were very ______. 그의 새 신발은 가격이 매우 쌌다.

flight [flait]

[1]항공편 [2]여행, 비행

I met them on a flight to Toronto.
나는 그들을 토론토로 가는 항공편에서 만났다.

airport [ɛ́ərpɔ̀ːrt]

공항

The airport was newly built.
그 공항은 새롭게 지어졌다.

price [prais]

값, 가격

The painting was sold at a low price.
그림은 낮은 가격에 팔렸다.

passport [pǽspɔ̀ːrt]

여권

Make sure you have a passport.
여권이 있는지 확인해라.

어휘 기초 확인

Answers p. 12

A 영어는 우리말로, 우리말은 영어로 쓰기

01 price

02 flight

03 passport

04 airport

05 여권

06 공항

07 값, 가격

08 항공편, 여행, 비행

B 빈칸에 알맞은 말 넣어 완성하기

01 at the ________ 공항에서

02 the ________ of milk 우유의 가격

03 an Italian ________ 이탈리아 여권

04 the long ________ 긴 비행

C 괄호 안의 철자를 바르게 배열하여 쓰기

01 I think the ________ of the ticket is high. 그 입장권 가격은 비싼 것 같다.
(rpeic)

02 He got up late and missed his ________. 그는 늦게 일어나서 항공편을 놓쳤다.
(ltfihg)

03 You should not lose your ________. 여권을 잃어버리면 안 된다.
(spspaotr)

04 How can I go to the ________? 공항에 어떻게 가나요?
(aroirpt)

3주 1일 어휘 집중 연습

A 단어와 우리말 뜻 연결하기

01 passport •

02 cheap •

03 huge •

04 deep •

05 airport •

06 thin •

• a. (값이) 싼

• b. 깊은

• c. 공항

• d. 여권

• e. 마른, 얇은

• f. 거대한, 막대한

B 밑줄 친 부분에 유의하여 알맞은 말 고르기

01 우리는 값이 싼 것을 선택할 것이다.

➔ We will choose the (huge / cheap) one.

02 그녀는 런던에서 인천까지 가는 항공편에서 내렸다.

➔ She got off (an airport / a flight) from London to Incheon.

03 깊은 눈을 조심해라.

➔ Be careful of the (deep / thin) snow.

04 공원은 거대하고 평화롭다.

➔ The park is (cheap / huge) and peaceful.

Answers p. 12

C 빈칸에 알맞은 철자를 넣어 문장 완성하기

01 이 공항은 매우 혼잡하다.

→ This [ ][ ][r][ ][o][ ][ ] is very busy.

02 나는 수박 가격을 모른다.

→ I don't know the [ ][ ][i][ ][e] of a watermelon.

03 그는 이 사진에서 말라 보인다.

→ He looks [ ][ ][i][ ] in this photo.

04 나는 내 여권을 찾을 수 없다.

→ I can't find my [ ][a][ ][ ][p][ ][ ][ ].

3주 1일

3주 1일 누적 테스트 영어는 우리말로, 우리말은 영어로 쓰기

01	thin		09	항공편, 여행, 비행	
02	cheap		10	거대한, 막대한	
03	passport		11	(값이) 싼	
04	flight		12	깊은	
05	huge		13	값, 가격	
06	price		14	마른, 얇은	
07	airport		15	여권	
08	deep		16	공항	

cute [kjuːt]

귀여운

There are cute little piglets.
귀여운 새끼 돼지들이 있다.

warm [wɔːrm]

따뜻한, 따스한

반의어 cool 시원한, 서늘한

The weather is warm and sunny.
날씨는 따뜻하고 화창하다.

ugly [ʌ́gli]

못생긴, 추한

반의어 beautiful 아름다운

I saw an ugly fish on TV.
나는 TV에서 못생긴 물고기를 보았다.

sharp [ʃaːrp]

1 날카로운, 뾰족한 2 예리한

Sharks have sharp teeth.
상어는 날카로운 이빨을 갖고 있다.
The young man has a sharp mind.
그 젊은 남자는 머리가 예리하다.

어휘 기초 확인

Answers p. 13

A 영어는 우리말로, 우리말은 영어로 쓰기

01 ugly

02 warm

03 sharp

04 cute

05 날카로운, 뾰족한, 예리한

06 귀여운

07 따뜻한, 따스한

08 못생긴, 추한

B 빈칸에 알맞은 말 넣어 완성하기

01 ________ water 따뜻한 물

02 a ________ baby 귀여운 아기

03 ________ eyes 예리한 눈

04 an ________ picture 추한 그림

C 괄호 안의 철자를 바르게 배열하여 쓰기

01 We need to use ________ scissors. 우리는 날카로운 가위를 사용해야 한다.
(sahpr)

02 I'm looking for ________ shoes for my son. 나는 아들에게 줄 귀여운 신발을 찾고 있다.
(tceu)

03 He created an ________ character. 그는 추한 캐릭터를 만들었다.
(luyg)

04 The sweater will keep you ________. 그 스웨터는 너를 따뜻하게 해 줄 것이다.
(rwma)

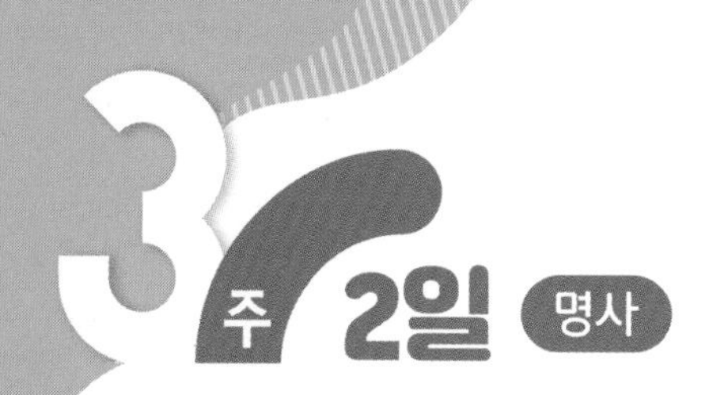

island [áilənd]

섬

Jejudo is an island in Korea.
제주도는 한국에 있는 섬이다.

holiday [hálədèi]

[1]휴가, 방학 [2]공휴일

유의어 vacation 휴가, 방학

We are going to Daegu for our holidays.
우리는 휴가 때 대구에 갈 것이다.

voice [vɔis]

목소리

She has a good singing voice.
그녀는 노래하는 목소리가 좋다.

tour [tuər]

여행, 관광

유의어 travel (특히 긴) 여행

비교 tourist 관광객

We're going on a bus tour.
우리는 버스 여행을 할 것이다.

어휘 기초 확인

Answers p. 13

A 영어는 우리말로, 우리말은 영어로 쓰기

01 voice

02 island

03 tour

04 holiday

05 휴가, 방학, 공휴일

06 섬

07 여행, 관광

08 목소리

B 빈칸에 알맞은 말 넣어 완성하기

01 a national ________ 국경일

02 a ________ guide 관광 가이드

03 an angry ________ 화난 목소리

04 a large ________ 큰 섬

C 알맞은 말 골라 쓰기

tour	island	voice	holiday

01 His ________ is loud and clear. 그의 목소리는 크고 분명하다.

02 We will go on a ________ of France. 우리는 프랑스를 여행할 것이다.

03 The ________ is very cold at night. 그 섬은 밤에 무척 춥다.

04 What are you going to do on the ________? 너는 공휴일에 뭐 할 거니?

2일 어휘 집중 연습

A 단어와 우리말 뜻 연결하기

01 ugly •

02 holiday •

03 sharp •

04 warm •

05 tour •

06 voice •

• a. 여행, 관광

• b. 날카로운, 뾰족한, 예리한

• c. 휴가, 방학, 공휴일

• d. 따뜻한, 따스한

• e. 목소리

• f. 못생긴, 추한

B 밑줄 친 부분에 유의하여 알맞은 말 고르기

01 그 영화 배우에게는 귀여운 아기가 세 명 있다.

→ The actor has three (cute / ugly) babies.

02 시칠리아는 이탈리아에 있는 아름다운 섬이다.

→ Sicily is a beautiful (holiday / island) in Italy.

03 그들은 하루 동안 전주 여행을 떠났다.

→ They went on a day (tour / voice) of Jeonju.

04 따뜻한 우유를 마시는 게 어때?

→ Why don't you drink (sharp / warm) milk?

Answers p. 13

C 빈칸에 알맞은 철자를 넣어 문장 완성하기

01 내 남동생은 콧날이 날카롭다.

→ My brother has a [ ][ ][a][ ][p] nose.

02 나는 작년에 즐거운 여름휴가를 보냈다.

→ I had good summer [ ][ ][l][ ][d][ ][ ][s] last year.

03 네 방에 있는 못생긴 물건은 무엇이니?

→ What is the [ ][ ][l][ ] thing in your room?

04 그녀의 목소리는 부드럽고 친절하다.

→ Her [ ][o][ ][ ][e] is soft and kind.

3주 1~2일 누적 테스트 영어는 우리말로, 우리말은 영어로 쓰기

01	thin		09	거대한, 막대한	
02	cheap		10	값, 가격	
03	passport		11	깊은	
04	flight		12	공항	
05	tour		13	따뜻한, 따스한	
06	holiday		14	귀여운	
07	sharp		15	섬	
08	voice		16	못생긴, 추한	

asleep [əslíːp]

잠이 든, 자고 있는

반의어 awake 잠들지 않은, 깨어 있는

Somi and her cat were asleep on the sofa.

소미와 그녀의 고양이는 소파에서 잠이 들었다.

curious [kjúəriəs]

궁금한, 호기심이 많은

The dog is curious about everything.

그 개는 모든 것이 궁금하다.

brave [breiv]

용감한, 용기 있는

유의어 bold 용감한, 대담한

He was a brave man.

그는 용감한 사람이었다.

serious [síəriəs]

심각한, 진지한

I have a serious problem.

나는 심각한 문제가 있다.

어휘 기초 확인

Answers p. 13

A 영어는 우리말로, 우리말은 영어로 쓰기

01 serious ______

02 asleep ______

03 curious ______

04 brave ______

05 궁금한, 호기심이 많은 ______

06 심각한, 진지한 ______

07 용감한, 용기 있는 ______

08 잠이 든, 자고 있는 ______

3주 3일

B 빈칸에 알맞은 말 넣어 완성하기

01 ______ animals 호기심이 많은 동물들

02 fall ______ 잠이 들다

03 a ______ face 진지한 얼굴

04 ______ action 용기 있는 행동

C 알맞은 말 골라 쓰기

serious	curious	brave	asleep

01 They are all ______ soldiers. 그들은 모두 용감한 군인들이다.

02 Mom's voice sounded ______. 엄마의 목소리는 진지하게 들렸다.

03 He fell ______ while talking on the phone. 그는 전화 통화 중에 잠이 들었다.

04 I'm not a ______ person. 나는 호기심이 많은 사람이 아니다.

trouble [trʌ́bl]

문제, 골칫거리

유의어 problem 문제

I'm having trouble with my cellphone.

나는 내 휴대폰에 문제가 있다.

musician [mjuːzíʃən]

음악가

The musician played beautiful music.

그 음악가는 아름다운 음악을 연주했다.

joke [dʒouk]

농담

동사 농담하다

She laughed at his jokes.

그녀는 그의 농담에 웃었다.

speech [spiːtʃ]

연설, 담화

동사 speak 연설하다

Her speech was great.

그녀의 연설은 훌륭했다.

어휘 기초 확인

Answers p. 14

A 영어는 우리말로, 우리말은 영어로 쓰기

01 musician ______

02 joke ______

03 trouble ______

04 speech ______

05 문제, 골칫거리 ______

06 연설, 담화 ______

07 음악가 ______

08 농담 ______

3주 3일

B 빈칸에 알맞은 말 넣어 완성하기

01 a funny ______ 우스운 농담

02 a serious ______ 심각한 문제

03 give a ______ 연설을 하다

04 a talented ______ 재능 있는 음악가

C 괄호 안의 철자를 바르게 배열하여 쓰기

01 His ______ was too slow and boring. 그의 연설은 너무 느리고 지루했다.
(sepehc)

02 I had no ______ solving the puzzle. 나는 그 퍼즐을 푸는 데 문제가 없었다.
(rtoleub)

03 Her ______ made people laugh. 그녀의 농담은 사람들을 웃게 했다.
(ejko)

04 The woman became a famous ______. 그 여자는 유명한 음악가가 되었다.
(misaicun)

3주 3일 어휘 집중 연습

A 단어와 우리말 뜻 연결하기

01 musician •

02 curious •

03 asleep •

04 trouble •

05 speech •

06 serious •

• a. 심각한, 진지한

• b. 연설, 담화

• c. 음악가

• d. 잠이 든, 자고 있는

• e. 궁금한, 호기심이 많은

• f. 문제, 골칫거리

B 밑줄 친 부분에 유의하여 알맞은 말 고르기

01 나는 네가 무척 용감하다고 믿는다.

➔ I believe you are very (serious / brave).

02 제게 우스운 농담을 더 말해 주세요.

➔ Tell me more funny (jokes / speeches), please.

03 침대에 있는 소녀는 잠이 들지 않았다.

➔ The girl on the bed was not (curious / asleep).

04 모든 학생은 짧은 연설을 했다.

➔ Every student made a short (trouble / speech).

Answers p. 14

C 빈칸에 알맞은 철자를 넣어 문장 완성하기

01 너는 심각해 보이네. 무슨 일 있니?

→ You look [ ][ ][r][ ][o][ ][ ]. What's wrong?

02 그 아기는 그 장난감에 호기심이 많다.

→ The baby is [ ][u][ ][ ][ ][ ][s] about the toy.

03 내 아버지는 재즈 음악가이시다.

→ My father is a jazz [ ][ ][s][ ][c][ ][ ][ ].

04 그녀는 내게 자신의 골칫거리에 대해 말했다.

→ She told me about her [ ][r][ ][ ][b][ ][ ][s].

3주 3일

3주 2~3일 누적 테스트 영어는 우리말로, 우리말은 영어로 쓰기

01	tour		09	목소리	
02	ugly		10	귀여운	
03	sharp		11	섬	
04	warm		12	휴가, 방학, 공휴일	
05	serious		13	음악가	
06	trouble		14	잠이 든, 자고 있는	
07	curious		15	용감한, 용기 있는	
08	speech		16	농담	

simple [símpl]

간단한, 단순한

유의어 easy 간단한, 쉬운
반의어 complex 복잡한

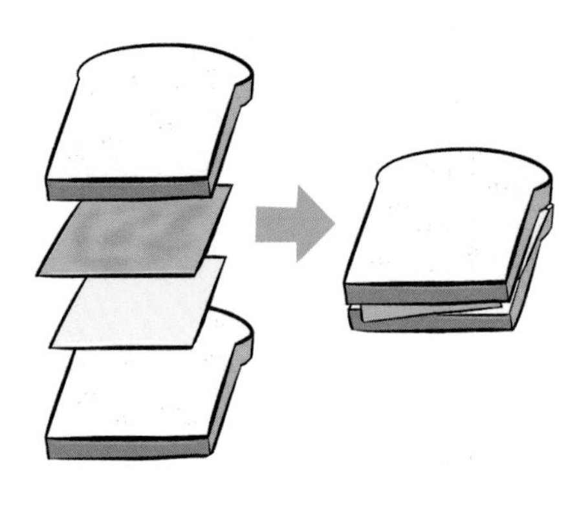

Making sandwiches is simple.
샌드위치 만들기는 간단하다.

delicious [dilíʃəs]

아주 맛있는

The cheese is really delicious.
치즈는 아주 맛있다.

terrible [térəbl]

끔찍한, 심한

The traffic jam was terrible.
교통 체증이 심했다.

flat [flæt]

평평한

The building has a flat roof.
그 건물은 지붕이 평평하다.

어휘 기초 확인

Answers p. 14

A 영어는 우리말로, 우리말은 영어로 쓰기

01 terrible

02 simple

03 flat

04 delicious

05 평평한

06 아주 맛있는

07 끔찍한, 심한

08 간단한, 단순한

B 빈칸에 알맞은 말 넣어 완성하기

01 ____________ food 아주 맛있는 음식

02 a ____________ rock 평평한 바위

03 a ____________ memory 끔찍한 기억

04 a ____________ machine 단순한 기계

C 알맞은 말 골라 쓰기

flat	delicious	terrible	simple

01 We had the ____________ apple pie. 우리는 맛있는 사과 파이를 먹었다.

02 The weather is ____________ today. 오늘 날씨는 끔찍하다.

03 I bought a pair of ____________ shoes. 나는 굽이 평평한 신발을 한 켤레 샀다.

04 He asked some ____________ questions. 그는 몇몇 간단한 질문을 했다.

명사

recipe [résəpi]

요리법, 조리법

I'm looking for a recipe for French fries.

나는 감자튀김 요리법을 찾고 있다.

meal [mi:l]

식사, 끼니

I have two meals a day.

나는 하루에 두 끼를 먹는다.

fever [fí:vər]

열, 열병

He has a fever all day.

그는 하루 종일 열이 난다.

desert [dézərt]

사막

비교 dessert 후식, 디저트

Australia has a large desert.

호주에는 큰 사막이 있다.

어휘 기초 확인

Answers p. 14

A 영어는 우리말로, 우리말은 영어로 쓰기

01	meal		05	열, 열병	
02	recipe		06	사막	
03	desert		07	요리법, 조리법	
04	fever		08	식사, 끼니	

B 빈칸에 알맞은 말 넣어 완성하기

01 a delicious ____________ 아주 맛있는 식사

02 a dry ____________ 건조한 사막

03 a high ____________ 고열

04 a simple ____________ 간단한 요리법

C 괄호 안의 철자를 바르게 배열하여 쓰기

01 This morning I woke up with a ____________ (rfeev). 오늘 아침에 나는 열이 나며 잠에서 깼다.

02 There was a ____________ (redtes) here a long time ago. 오래전에 여기에 사막이 있었다.

03 She began to cook the ____________ (laem). 그녀는 식사를 요리하기 시작했다.

04 I have the ____________ (peierc) for this cheesecake. 나는 이 치즈케이크 요리법이 있다.

3주 4일 어휘 집중 연습

A 단어와 우리말 뜻 연결하기

01	recipe	a. 식사, 끼니
02	terrible	b. 사막
03	fever	c. 요리법, 조리법
04	desert	d. 평평한
05	flat	e. 끔찍한, 심한
06	meal	f. 열, 열병

B 밑줄 친 부분에 유의하여 알맞은 말 고르기

01 내 여동생은 미열이 난다.

→ My sister has a slight (fever / recipe).

02 인도에 한랭 사막이 있니?

→ Is there a cold (meal / desert) in India?

03 그 호텔의 음식은 끔찍했다.

→ The food at the hotel was (trouble / terrible).

04 아주 맛있는 과자 고마워요.

→ Thank you for the (delicious / serious) cookies.

Answers p. 15

C 빈칸에 알맞은 철자를 넣어 문장 완성하기

01 이 카메라는 사용하기 간단하다.

➔ This camera is [ ][ ][m][ ][l][ ] to use.

02 함께 식사하자.

➔ Let's have a [ ][ ][a][ ] together.

03 그들은 평평한 땅 위에 섰다.

➔ They stood on a [ ][ ][a][ ] ground.

04 내게 옥수수 수프 요리법을 말해 줄 수 있니?

➔ Can you tell me a [ ][e][ ][ ][p][ ] for corn soup?

3주 4일

3주 3~4일 누적 테스트 영어는 우리말로, 우리말은 영어로 쓰기

01	brave		09	음악가	
02	trouble		10	연설, 담화	
03	curious		11	심각한, 진지한	
04	asleep		12	농담	
05	terrible		13	평평한	
06	recipe		14	식사, 끼니	
07	delicious		15	간단한, 단순한	
08	fever		16	사막	

hurt [həːrt]

다친, 기분이 상한

동사 다치게 하다, 아프다

He was hurt during a basketball game.

그는 농구 경기 중에 다쳤다.

famous [féiməs]

유명한

유의어 well-known

Switzerland is famous for its chocolate.

스위스는 초콜릿으로 유명하다.

heavy [hévi]

1무거운 2심한, 많은

반의어 light 가벼운

The bag is heavy to carry.

그 가방은 나르기 무겁다.

We stayed home because of heavy rain.

우리는 많은 비 때문에 집에 있었다.

last [læst]

1지난 2마지막의

반의어 first 첫 번째의, 최초의

I enjoyed swimming last weekend.

나는 지난 주말에 수영을 즐겼다.

I got on the last train to Busan.

나는 부산행 마지막 기차를 탔다.

어휘 기초 확인

Answers p. 15

A 영어는 우리말로, 우리말은 영어로 쓰기

01 last ______

02 famous ______

03 hurt ______

04 heavy ______

05 유명한 ______

06 무거운, 심한, 많은 ______

07 지난, 마지막의 ______

08 다친, 기분이 상한 ______

B 빈칸에 알맞은 말 넣어 완성하기

01 a ______ musician 유명한 음악가

02 ______ night 어젯밤

03 badly ______ 심하게 다친

04 ______ traffic 많은 교통량

C 알맞은 말 골라 쓰기

famous	hurt	last	heavy

01 The basket is too ______ for her to lift. 그 바구니는 그녀가 들어 올리기에 너무 무겁다.

02 She is a ______ French actress. 그녀는 유명한 프랑스 여배우이다.

03 You can have the ______ piece of cake. 너는 케이크의 마지막 조각을 먹어도 된다.

04 He hoped no one was ______. 그는 아무도 다치지 않기를 바랐다.

magazine [mǽgəzìːn]

잡지

There are many kinds of magazines.
많은 종류의 잡지가 있다.

machine [məʃíːn]

기계

The washing machine was broken.
세탁기가 고장 났다.

law [lɔː]

법, 법률

비교 lawyer 변호사

If you break the law, you will be caught.
법을 어기면, 걸릴 것이다.

flood [flʌd]

홍수

동사 물에 잠기다, 범람하다

I lost my home in the flood.
나는 홍수로 집을 잃었다.

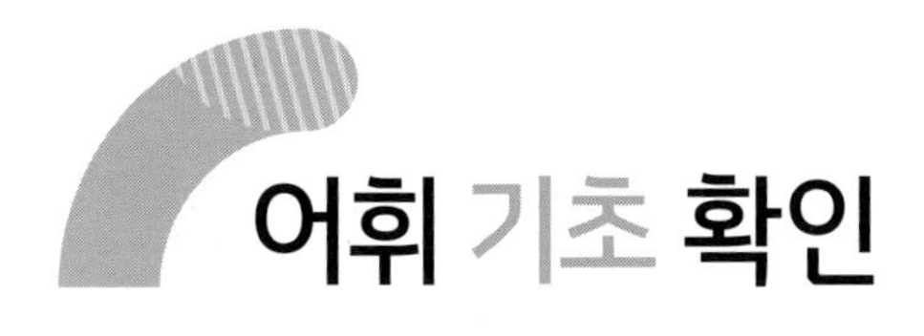

어휘 기초 확인

Answers p. 15

A 영어는 우리말로, 우리말은 영어로 쓰기

01 flood

02 magazine

03 machine

04 law

05 잡지

06 기계

07 홍수

08 법, 법률

3주

5일

B 빈칸에 알맞은 말 넣어 완성하기

01 turn on the ________ 기계를 켜다

02 the worst ________ 최악의 홍수

03 traffic ________ 교통 법규

04 a science ________ 과학 잡지

C 알맞은 말 골라 쓰기

machine	flood	law	magazine

01 He wants to study ________ in New York. 그는 뉴욕에서 법을 공부하고 싶다.

02 I'm reading a fashion ________. 나는 패션 잡지를 읽고 있다.

03 The ________ is not working now. 그 기계는 지금 작동하지 않고 있다.

04 Schools were closed because of the ________. 학교는 홍수 때문에 문을 닫았다.

3주 5일 어휘 집중 연습

A 단어와 우리말 뜻 연결하기

01 heavy •
02 hurt •
03 flood •
04 law •
05 last •
06 machine •

• a. 법, 법률
• b. 기계
• c. 무거운, 심한, 많은
• d. 지난, 마지막의
• e. 홍수
• f. 다친, 기분이 상한

B 밑줄 친 부분에 유의하여 알맞은 말 고르기

01 나는 많은 유명한 사람들을 인터뷰했다.

➔ I interviewed many (hurt / famous) people.

02 그녀는 보통 잡지를 읽지 않는다.

➔ She usually doesn't read (magazines / laws).

03 그 소년은 무거운 배낭을 매고 있다.

➔ The boy is carrying a (heavy / last) backpack.

04 나는 그 기계를 사용하는 방법을 모른다.

➔ I don't know how to use the (flood / machine).

Answers p. 15

C 빈칸에 알맞은 철자를 넣어 문장 완성하기

01 그 선수는 경기에서 다쳤다.

→ The player got [ ][ ][r][ ] in the match.

02 그 홍수는 약 20명의 목숨을 앗아갔다.

→ The [ ][ ][o][ ][d] killed about 20 people.

03 그것은 그 배우의 마지막 영화가 될 것이다.

→ It will be the actor's [ ][ ][s][ ] movie.

04 그 여자는 대학교에서 법률을 가르친다.

→ The woman teaches [ ][ ][w] at college.

3주 5일

3주 4~5일 누적 테스트 영어는 우리말로, 우리말은 영어로 쓰기

01	meal		
02	recipe		
03	flat		
04	fever		
05	famous		
06	hurt		
07	magazine		
08	law		
09	아주 맛있는		
10	끔찍한, 심한		
11	간단한, 단순한		
12	사막		
13	기계		
14	무거운, 심한, 많은		
15	지난, 마지막의		
16	홍수		

특강 | Creative Visual Review 창의·융합·코딩

공부한 어휘와 관련된 이야기를 읽으며 뜻을 확인해 봅시다.

My foot is asleep.
(발이 저려.)
발이 저릴 땐 코에 침을
바르면 괜찮아지려나?

발이 자고 있다고? 하하.
이번 주는 이와 같은 재미있는
표현을 알아볼까?

My foot is asleep.

My foot is asleep.
(나는 발이 저려요.)

영어로 발이 저리다고 말할 때는 '잠이 든'이라는 뜻의 asleep을 써서 My foot is asleep. 또는 My foot falls asleep. 이라고 말해요. 발이 막 저릴 때는 찌릿찌릿하면서 도저히 움직일 수 없잖아요. 그래서 만들어진 표현이라고 해요.

through thick and thin

We have been friends for five years through thick and thin.
(우리는 좋을 때나 안 좋을 때나 5년 동안 친구로 지내고 있어요.)

through thick and thin을 문자 그대로 해석하면 '굵은 것과 가는 것을 통해서'예요. '좋을 때나 안 좋을 때나 변함없이'라는 의미로, 작가 제프리 초서가 '캔터베리 이야기'에서 처음 쓴 말이라고 해요.

pull one's leg

You always make jokes about me. Don't pull my leg.
(너는 항상 나를 놀려. 나를 놀리지 마.)

pull my leg는 문자 그대로의 뜻으로 '내 다리를 잡아당기다'라는 말인데, 그 의미는 다리와 전혀 관련이 없어요. 이 말은 '놀리다, 장난하다'라는 의미예요. 옛날에 지나가던 사람의 다리를 지팡이나 끈으로 걸어 넘어뜨리던 장난에서 유래되었다고 해요.

3주 특강

특강 | Creative Visual Review 창의·융합·코딩

A 그림에서 연상되는 단어와 뜻을 찾아 써 봅시다.

1

2

3

4

5

6

meal	voice	cheap
flood	curious	huge
홍수	거대한, 막대한	궁금한, 호기심이 많은
식사, 끼니	(값이) 싼	목소리

Answers p. 16

B 우리말 뜻을 참고하여 철자를 바르게 배열해 봅시다.

1 rpiec 값, 가격

2 asphr 날카로운, 뾰족한, 예리한

3 uimscani 음악가

4 saelpe 잠이 든, 자고 있는

5 dhlaoyi 휴가, 방학, 공휴일

6 oiaprtr 공항

7 tfal 평평한

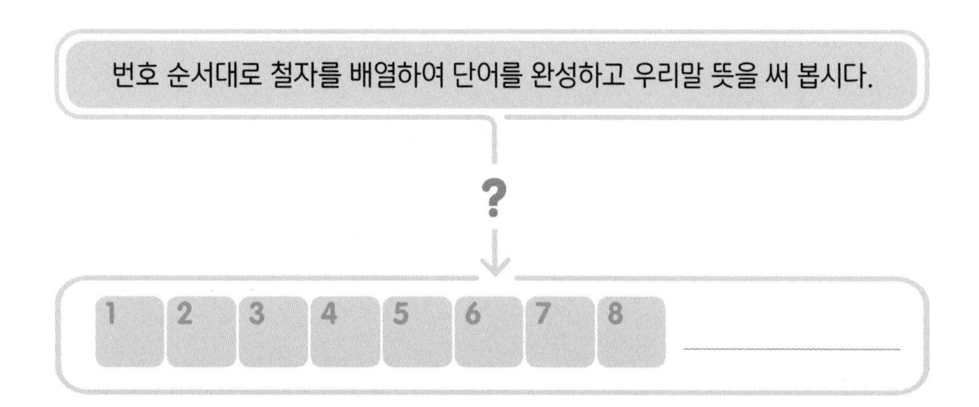

C 그림을 보고, 대화를 완성해 봅시다.

1

2

3

1 A: What is the ______ of this ______ painting?

이 유명한 그림의 가격은 얼마인가요?

B: It's 700 dollars. 그것은 700 달러예요.

2 A: How's the weather on the ______? 그 섬의 날씨가 어떠니?

B: It's ______ and sunny. 따뜻하고 화창해.

3 A: French fries are ______. Did you make them?

감자튀김이 아주 맛있어. 네가 만들었니?

B: Yes, it's simple. I'll tell you the ______.

응, 그건 간단해. 내가 너에게 요리법을 말해 줄게.

Answers p. 16

D 크로스워드 퍼즐을 완성해 봅시다.

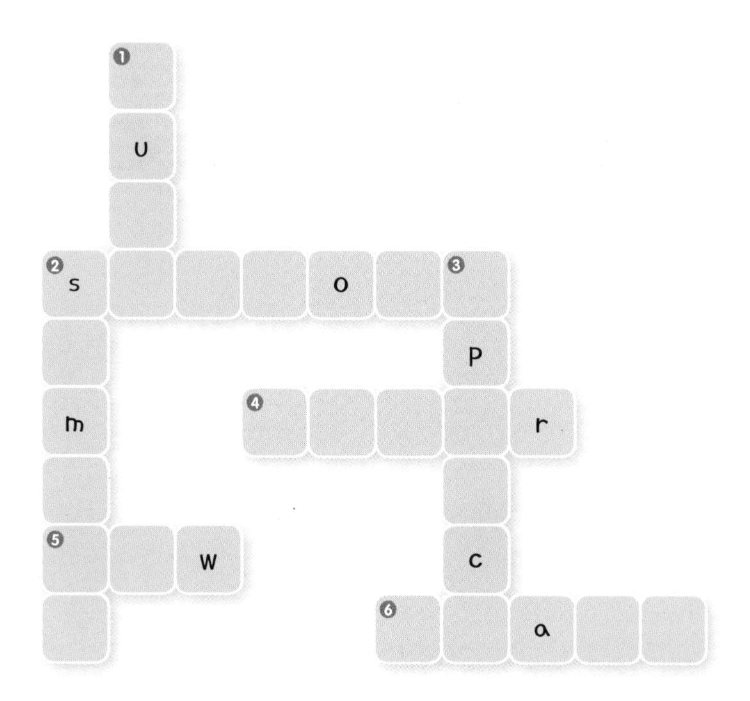

Down

1 the ________ stones at Stonehenge 스톤헨지에 있는 거대한 돌들

2

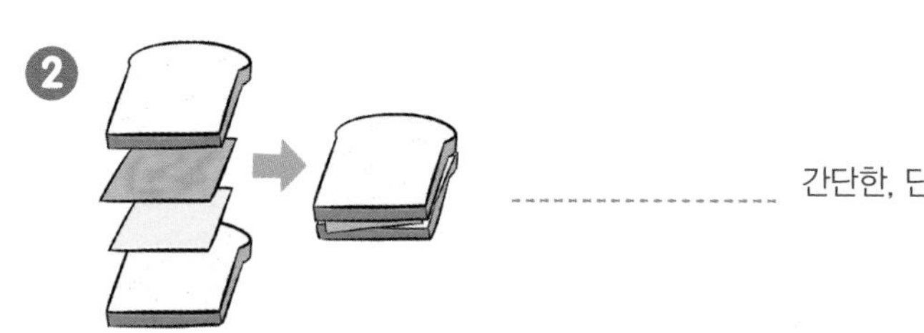

________ 간단한, 단순한

3 Her ________ was touching. 그녀의 연설은 감동적이었다.

Across

2 심각한, 진지한 : ________

4 I had a ________, so I went to the doctor. 나는 열이 나서 병원에 갔다.

5 break the ________ 법을 어기다

6 Be careful of the ________ pencil. 뾰족한 연필을 조심해라.

3주 특강

누구나 100점 테스트

[01-02] 그림을 보고, 우리말 뜻에 해당하는 단어를 써 봅시다.

01

귀여운 :

02

항공편, 여행, 비행 :

[03-05] 밑줄 친 단어의 뜻으로 알맞은 것을 골라 봅시다.

03

The sticks were thin.

a. 무거운, 심한, 많은 b. 깊은 c. 거대한, 막대한 d. 마른, 얇은

04

Sharks have sharp teeth.

a. 못생긴, 추한 b. 날카로운, 뾰족한 c. 평평한 d. 간단한, 단순한

05

I have two meals a day.

a. 목소리 b. 요리법, 조리법 c. 식사, 끼니 d. 농담

Answers p. 16

[06-07] 빈칸에 들어갈 알맞은 단어를 골라 봅시다.

06 The socks are very ____________. 양말 가격이 아주 싸다.

a. cheap b. deep c. heavy d. flat

07 We're going on a bus ____________. 우리는 버스 여행을 할 것이다.

a. desert b. island c. holiday d. tour

3주

[08-10] 그림을 보고, 알맞은 단어를 골라 문장을 다시 써 봅시다.

08 I'm having (machine / trouble) with my cellphone.

➜

09 Somi and her cat were (asleep / heavy) on the sofa.

➜

10 If you break the (flood / law), you will be caught.

➜

4주 4주에는 무엇을 공부할까? 1

만화를 읽으며 단어의 뜻을 추측해 봅시다.

01 lucky ☐ 운이 좋은, 행운의 ☐ 아주 훌륭한, 뛰어난

02 floor ☐ (건물의) 층, 바닥 ☐ 쓰레기

03 loose ☐ 헐거운, 헐렁한, 풀린 ☐ 완벽한, 꼭 알맞은

04 healthy ☐ 환상적인, 멋진 ☐ 건강한, 건강에 좋은

05 gym ☐ 체육관 ☐ 회사

Answers p. 17

06 forest ☐ 모험 ☐ 숲, 삼림

07 empty ☐ 비어 있는, 빈 ☐ 충분한

4주

08 goal ☐ 목표, 골, 득점 ☐ 상, 상품

09 polite ☐ 총명한, 지적인 ☐ 예의 바른

10 fair ☐ 공정한, 공평한 ☐ 불가능한

4주 4주에는 무엇을 공부할까? ❷

❷-1 그림을 보고 연상되는 단어를 골라 봅시다.

Answers p. 17

01

▢ straight ▢ intelligent

02

▢ attitude ▢ match

03

▢ narrow ▢ blind

04

▢ trust ▢ sound

05

▢ trash ▢ information

06

▢ wild ▢ enough

❷-2 그림을 보고 연상되는 단어를 찾아 써 봅시다.

Answers p. 17

01

02

03

04

05

06

excellent	score	prize
silent	rude	astronaut

형용사

dirty [dɚ́ːrti]

더러운, 지저분한

반의어 clean 청결한, 깨끗한

He washed his dirty hands.

그는 더러운 손을 씻었다.

lucky [lʌ́ki]

운이 좋은, 행운의

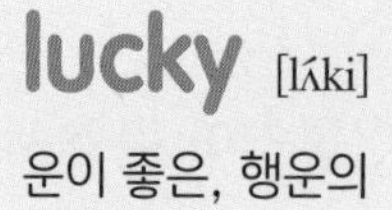

luck 행운, 운(수)

반의어 unlucky 불운한

Seven is a lucky number.

7은 행운의 숫자이다.

narrow [nǽrou]

좁은

반의어 wide 넓은

The road is too narrow to drive.

길이 운전하기에 너무 좁다.

perfect [pɚ́ːrfikt]

1완벽한 2꼭 알맞은

I got a perfect score.

나는 만점을 받았다.

He found perfect shoes.

그는 꼭 맞는 신발을 발견했다.

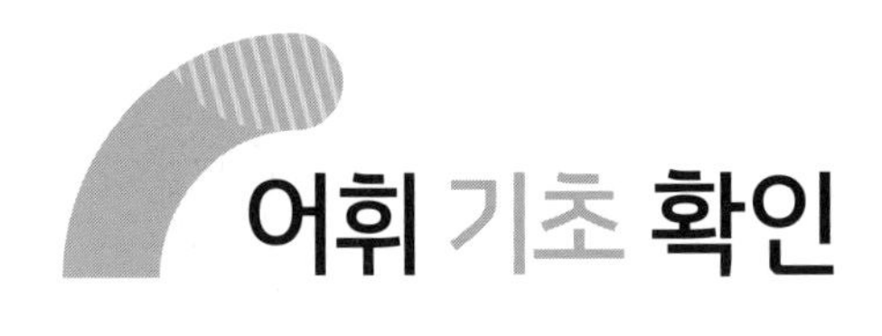

어휘 기초 확인

Answers p. 17

A 영어는 우리말로, 우리말은 영어로 쓰기

01 narrow [ ]

02 dirty [ ]

03 perfect [ ]

04 lucky [ ]

05 운이 좋은, 행운의 [ ]

06 더러운, 지저분한 [ ]

07 좁은 [ ]

08 완벽한, 꼭 알맞은 [ ]

B 빈칸에 알맞은 말 넣어 완성하기

01 ________ clothes 더러운 옷들

02 a ________ gap 좁은 틈

03 a ________ man 운이 좋은 남자

04 a ________ day 완벽한 하루

C 괄호 안의 철자를 바르게 배열하여 쓰기

01 The weather was ________ (rtepfce) for the trip. 날씨가 여행에 꼭 알맞았다.

02 The uniforms got ________ (tiyrd) after the game. 경기 후에 유니폼이 더러워졌다.

03 We were ________ (lycuk) to pass the exam. 우리는 운 좋게 시험을 통과했다.

04 The boy stood in the ________ (rnrwao) space. 그 소년은 좁은 공간에 서 있었다.

floor [flɔːr]

1(건물의) 층 2바닥

They live on the second floor.
그들은 2층에 산다.

The cat was lying on the floor.
고양이는 바닥에 누워있었다.

earth [əːrθ]

1지구 2땅, 지면

The Earth is round.
지구는 둥글다.

The rocket fell back to earth.
로켓이 땅으로 다시 떨어졌다.

gym [dʒim]

체육관

We worked out at the gym.
우리는 체육관에서 운동했다.

goal [goul]

1목표 2골, 득점

My goal is to be the champion.
내 목표는 챔피언이 되는 것이다.

She made a goal for her team.
그녀는 팀에 골을 보탰다.

어휘 기초 확인

Answers p. 17

A 영어는 우리말로, 우리말은 영어로 쓰기

01 gym

02 floor

03 earth

04 goal

05 지구, 땅, 지면

06 목표, 골, 득점

07 체육관

08 (건물의) 층, 바닥

B 빈칸에 알맞은 말 넣어 완성하기

01 the last ________ 마지막 목표

02 the kitchen ________ 부엌 바닥

03 ________ science 지구 과학

04 go to the ________ 체육관에 가다

C 알맞은 말 골라 쓰기

goal	gym	floor	earth

01 The boy dropped the book on the ________. 소년은 바닥에 책을 떨어뜨렸다.

02 We wanted to join a new ________. 우리는 새로운 체육관에 등록하고 싶었다.

03 He made his first ________ of the season. 그는 시즌 첫 골을 넣었다.

04 She felt the ________ shake under her feet. 그녀는 발아래 땅이 흔들리는 것을 느꼈다.

4주 1일 어휘 집중 연습

A 단어와 우리말 뜻 연결하기

01	earth	a. (건물의) 층, 바닥
02	narrow	b. 목표, 골, 득점
03	floor	c. 완벽한, 꼭 알맞은
04	lucky	d. 운이 좋은, 행운의
05	perfect	e. 지구, 땅, 지면
06	goal	f. 좁은

B 밑줄 친 부분에 유의하여 알맞은 말 고르기

01 그녀는 체육관에서 왼쪽 무릎을 다쳤다.

→ She hurt her left knee at the (gym / floor).

02 내가 지저분한 그릇을 어디에 두어야 할까?

→ Where should I put the (narrow / dirty) dishes?

03 오늘은 그가 운이 좋은 날처럼 보였다.

→ Today seemed to be his (lucky / perfect) day.

04 그녀의 목표는 대회에서 우승하는 것이었다.

→ Her (goal / earth) was to win the contest.

Answers p. 17

C 빈칸에 알맞은 철자를 넣어 문장 완성하기

01 지구는 태양 주위를 돈다.

→ The E __ r __ __ moves around the Sun.

02 내 남동생은 완벽한 프랑스어를 구사한다.

→ My brother speaks p e __ __ e __ __ French.

03 꼭대기 층에는 방이 두 개 있다.

→ There are two rooms on the top __ __ o __ r.

04 나는 좁은 길을 걷고 있었다.

→ I was walking on the __ a __ r __ __ road.

4주

1일

4주 1일 누적 테스트 영어는 우리말로, 우리말은 영어로 쓰기

01	floor		09	목표, 골, 득점	
02	narrow		10	완벽한, 꼭 알맞은	
03	dirty		11	지구, 땅, 지면	
04	gym		12	좁은	
05	perfect		13	더러운, 지저분한	
06	goal		14	(건물의) 층, 바닥	
07	lucky		15	운이 좋은, 행운의	
08	earth		16	체육관	

4주 2일 형용사

straight [streit]

[1]곧은 [2]똑바른

부사 곧장, 똑바로

He walked along the straight road.

그는 곧은 길을 따라 걸었다.

final [fáinl]

마지막의, 최종적인

유의어 last 마지막의

반의어 first 첫 번째의, 맨 처음의

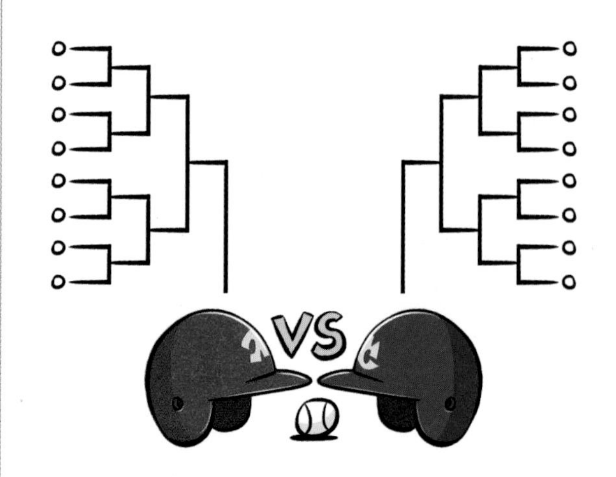

This is the final game.

이것이 마지막 경기이다.

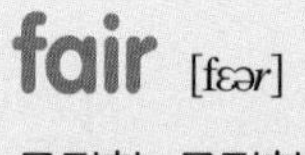

impossible [impásəbl]

불가능한

반의어 possible 가능한

Touching the moon is impossible.

달을 만지는 것은 불가능하다.

fair [fɛər]

공정한, 공평한

반의어 unfair 불공정한

Her decision was fair.

그녀의 결정은 공정했다.

어휘 기초 확인

Answers p. 18

A 영어는 우리말로, 우리말은 영어로 쓰기

01 impossible ☐

02 fair ☐

03 final ☐

04 straight ☐

05 마지막의, 최종적인 ☐

06 곧은, 똑바른 ☐

07 불가능한 ☐

08 공정한, 공평한 ☐

B 빈칸에 알맞은 말 넣어 완성하기

01 the ______ result 최종 결과

02 an ______ dream 불가능한 꿈

03 a ______ chance 공평한 기회

04 a ______ line 똑바른 선

C 괄호 안의 철자를 바르게 배열하여 쓰기

01 It wasn't ______ not to tell me. 나에게 말하지 않은 것은 공정하지 않았다.
(iarf)

02 The tickets were ______ to buy. 그 표를 사는 것은 불가능했다.
(siombsepil)

03 Try to keep your back ______. 네 등을 곧게 펴도록 노력해라.
(grthstia)

04 He sent me the ______ report. 그는 내게 최종 보고서를 보냈다.
(nlifa)

4주 2일 명사

match [mætʃ]

[1]경기 [2]성냥

동사 어울리다

Many people saw the match.

많은 사람이 그 경기를 보았다.

I found a box of matches.

나는 성냥 한 통을 찾았다.

adventure [ædvéntʃər]

모험

She wants to have an adventure.

그녀는 모험을 하고 싶다.

trash [træʃ]

쓰레기

You have to take out the trash.

너는 쓰레기를 내다 버려야 한다.

company [kʌ́mpəni]

회사

Mom works at the company.

엄마는 회사에서 일하신다.

어휘 기초 확인

Answers p. 18

A 영어는 우리말로, 우리말은 영어로 쓰기

01 adventure

02 trash

03 match

04 company

05 회사

06 모험

07 쓰레기

08 경기, 성냥

B 빈칸에 알맞은 말 넣어 완성하기

01 a ____________ can 쓰레기통

02 the next ____________ 다음 경기

03 a car ____________ 자동차 회사

04 ____________ stories 모험 이야기

2일

C 알맞은 말 골라 쓰기

adventure	match	company	trash

01 Our team easily won the ____________. 우리 팀은 쉽게 경기에 이겼다.

02 Everyday life is an ____________ for me. 하루하루의 삶이 내게 모험이다.

03 Brian joined the ____________ in 2020. Brian은 그 회사에 2020년에 입사했다.

04 The box was full of ____________. 그 상자는 쓰레기로 가득했다.

4주 2일 어휘 집중 연습

A 단어와 우리말 뜻 연결하기

01	trash	•	• a. 곧은, 똑바른
02	final	•	• b. 경기, 성냥
03	match	•	• c. 쓰레기
04	straight	•	• d. 공정한, 공평한
05	fair	•	• e. 마지막의, 최종적인
06	adventure	•	• f. 모험

B 밑줄 친 부분에 유의하여 알맞은 말 고르기

01 너는 모두에게 공정해야 한다.

➔ You must be (straight / fair) to everybody.

02 일곱 시에 거기로 가는 것은 불가능했다.

➔ It was (final / impossible) to be there at 7 o'clock.

03 그 회사는 서울에 매장을 열 계획이다.

➔ The (company / trash) plans to open the stores in Seoul.

04 내 남동생은 모험 영화만 좋아한다.

➔ My brother only likes the (match / adventure) movies.

Answers p. 18

C 빈칸에 알맞은 철자를 넣어 문장 완성하기

01 축구 경기는 토요일에 시작될 것이다.

→ The soccer [ ][a][ ][ ][h] will begin on Saturday.

02 내 여동생은 긴 직모를 가지고 있다.

→ My sister has long [s][ ][ ][a][i][ ][ ][t] hair.

03 바닥에 쓰레기를 버리지 마라.

→ Don't throw [ ][r][ ][s][ ] on the floor.

04 4월의 마지막 이틀은 따뜻했다.

→ The [f][ ][ ][a][ ] two days of April were warm.

4주 1~2일 누적 테스트 영어는 우리말로, 우리말은 영어로 쓰기

01	final	
02	perfect	
03	match	
04	goal	
05	earth	
06	fair	
07	lucky	
08	adventure	
09	(건물의) 층, 바닥	
10	불가능한	
11	체육관	
12	쓰레기	
13	곧은, 똑바른	
14	더러운, 지저분한	
15	회사	
16	좁은	

blind [blaind]

눈이 먼, 시각 장애의

The dog helps the blind person.
그 개는 시각 장애인을 돕는다.

intelligent [intéləd͡ʒənt]

[1]총명한 [2]지적인

유의어 clever
반의어 stupid 어리석은

A dolphin is an intelligent animal.
돌고래는 총명한 동물이다.

silent [sáilənt]

말을 안 하는, 조용한

유의어 quiet
반의어 noisy 떠들썩한

The girl stayed silent.
소녀는 침묵을 지켰다.

enough [inʌ́f]

충분한

부사 충분히

We have enough time to relax.
우리는 쉴 시간이 충분하다.

어휘 기초 확인

Answers p. 18

A 영어는 우리말로, 우리말은 영어로 쓰기

01 blind

02 enough

03 intelligent

04 silent

05 총명한, 지적인

06 말을 안 하는, 조용한

07 눈이 먼, 시각 장애의

08 충분한

B 빈칸에 알맞은 말 넣어 완성하기

01 ________ water 충분한 물

02 a ________ man 눈이 먼 남자

03 an ________ voice 지적인 목소리

04 a ________ film 무성 영화

C 괄호 안의 철자를 바르게 배열하여 쓰기

01 The streets were ________ at night. 거리는 밤에 조용했다.
(lnseti)

02 Amy is the most ________ in her class. 그녀는 반에서 가장 총명하다.
(lntnlgiteie)

03 We made ________ food for the party. 우리는 파티를 위한 충분한 음식을 만들었다.
(nogehu)

04 She became ________ at fifteen. 그녀는 열다섯 살에 시력을 잃었다.
(lndbi)

sound [saund]

소리, 음

동사 ~하게 들리다

The man heard the sound of voices.

그 남자는 사람 목소리를 들었다.

cause [kɔːz]

원인, 이유

동사 ~의 원인이 되다

반의어 result 결과

The candle was the cause of the fire.

양초가 화재의 원인이었다.

fact [fækt]

사실

The book is full of animal facts.

그 책은 동물에 관한 사실로 가득하다.

astronaut [ǽstrənɔ̀ːt]

우주 비행사

She became an astronaut.

그녀는 우주 비행사가 되었다.

어휘 기초 확인

Answers p. 19

A 영어는 우리말로, 우리말은 영어로 쓰기

01 astronaut

02 sound

03 fact

04 cause

05 소리, 음

06 원인, 이유

07 우주 비행사

08 사실

B 빈칸에 알맞은 말 넣어 완성하기

01 a sad ______ 슬픈 사실

02 ______ and effect 원인과 결과

03 the first ______ 최초 우주 비행사

04 a low ______ 저음

C 알맞은 말 골라 쓰기

fact	astronaut	sound	cause

01 Could you turn the ______ up? 소리를 좀 키워주실 수 있나요?

02 He told me an important ______. 그는 내게 중요한 사실을 말했다.

03 The reporter interviewed a famous ______. 기자는 유명한 우주 비행사를 인터뷰했다.

04 What was the ______ of the problem? 그 문제의 원인이 무엇이었니?

4주 3일 어휘 집중 연습

A 단어와 우리말 뜻 연결하기

01 silent •　　　　• a. 원인, 이유

02 fact •　　　　• b. 소리, 음

03 blind •　　　　• c. 사실

04 sound •　　　　• d. 말을 안 하는, 조용한

05 enough •　　　　• e. 눈이 먼, 시각 장애의

06 cause •　　　　• f. 충분한

B 밑줄 친 부분에 유의하여 알맞은 말 고르기

01 우주 비행사는 달에서 무사히 돌아왔다.

➔ The (astronaut / fact) came back from the moon safely.

02 이곳은 시각 장애 어린이들을 위한 학교이다.

➔ This is a school for (silent / blind) children.

03 학생들은 종소리를 들었다.

➔ The students heard the (cause / sound) of a bell.

04 그는 아주 지적인 지도자가 되었다.

➔ He became a very (intelligent / enough) leader.

Answers p. 19

C 빈칸에 알맞은 철자를 넣어 문장 완성하기

01 선생님은 잠시 말씀을 하지 않으셨다.

→ The teacher was s _ l e _ _ for a moment.

02 그들은 차를 살 충분한 돈을 모았다.

→ They saved _ n _ _ g h money to buy a car.

03 엄마는 소음의 원인을 찾으셨다.

→ Mom found the _ a _ s _ of the noise.

04 그 영화에 관한 재미있는 사실이 있다.

→ Here's a fun f _ _ t about the movie.

4주 2~3일 누적 테스트 영어는 우리말로, 우리말은 영어로 쓰기

01	enough		09	공정한, 공평한	
02	astronaut		10	눈이 먼, 시각 장애의	
03	trash		11	소리, 음	
04	company		12	마지막의, 최종적인	
05	straight		13	말을 안 하는, 조용한	
06	cause		14	모험	
07	impossible		15	사실	
08	intelligent		16	경기, 성냥	

4주 3일

excellent [éksələnt]

아주 훌륭한, 뛰어난

반의어 terrible 끔찍한, 형편없는

You did an excellent job.

너는 아주 잘했다.

polite [pəláit]

예의 바른

반의어 impolite 무례한

He is polite to everyone.

그는 모든 사람에게 예의 바르다.

fantastic [fæntǽstik]

환상적인, 멋진

유의어 wonderful

This pasta tastes fantastic.

이 파스타는 맛이 환상적이다.

loose [luːs]

[1]헐거운, 헐렁한 [2]풀린

반의어 tight [1]단단한 [2]꽉 조이는

The coat has a loose button.

코트에 헐거운 단추가 있다.

어휘 기초 확인

Answers p. 19

A 영어는 우리말로, 우리말은 영어로 쓰기

01 loose

02 excellent

03 fantastic

04 polite

05 환상적인, 멋진

06 예의 바른

07 헐거운, 헐렁한, 풀린

08 아주 훌륭한, 뛰어난

B 빈칸에 알맞은 말 넣어 완성하기

01 a ______ view 환상적인 경관

02 a ______ child 예의 바른 아이

03 an ______ chef 뛰어난 요리사

04 ______ pants 헐렁한 바지

C 괄호 안의 철자를 바르게 배열하여 쓰기

01 The island has a ______ (tfcniasat) beach. 그 섬에는 환상적인 해변이 있다.

02 Judy is a ______ (ilptoe) and friendly person. Judy는 예의 바르고 친절한 사람이다.

03 The students have an ______ (ctexlenel) teacher. 그 학생들은 아주 훌륭한 스승을 두었다.

04 The chickens are ______ (osleo) in the yard. 닭들은 마당에 풀어져 있다.

4주 4일

trust [trʌst]

신뢰

동사 신뢰하다

Trust is important in friendship.

신뢰는 우정에 중요하다.

score [skɔːr]

[1]득점 [2]점수

동사 [1]득점하다 [2]점수를 받다

What's the score of the game?

경기의 득점이 어떻게 되니?

prize [praiz]

상, 상품

The winner will receive a prize.

우승자는 상을 받을 것이다.

beauty [bjúːti]

[1]아름다움 [2]미인

형용사 beautiful 아름다운

She has an inner beauty.

그녀는 내면이 아름답다.

The woman is a great beauty.

그 여자는 아주 미인이다.

어휘 기초 확인

Answers p. 19

A 영어는 우리말로, 우리말은 영어로 쓰기

01 prize

02 beauty

03 trust

04 score

05 아름다움, 미인

06 득점, 점수

07 상, 상품

08 신뢰

B 빈칸에 알맞은 말 넣어 완성하기

01 the first ________ 일등상

02 a real ________ 진정한 아름다움

03 a high ________ 높은 점수

04 a lack of ________ 신뢰 부족

C 알맞은 말 골라 쓰기

beauty	score	trust	prize

01 Can you tell me my test ________? 내 시험 점수를 말해줄 수 있니?

02 We saw the ________ of the mountain. 우리는 산의 아름다움을 보았다.

03 The ________ went to a Swedish scientist. 상은 스웨덴 과학자에게 주어졌다.

04 There was a ________ between them. 그들 사이에는 신뢰가 있었다.

4일 어휘 집중 연습

A 단어와 우리말 뜻 연결하기

01 trust •

02 polite •

03 fantastic •

04 beauty •

05 loose •

06 prize •

• a. 상, 상품

• b. 환상적인, 멋진

• c. 신뢰

• d. 헐거운, 헐렁한, 풀린

• e. 예의 바른

• f. 아름다움, 미인

B 밑줄 친 부분에 유의하여 알맞은 말 고르기

01 그녀는 아주 훌륭한 호텔에서 머물 것이다.

➔ She's going to stay at the (polite / excellent) hotel.

02 우리 할머니는 상당히 미인이셨다.

➔ My grandmother was a great (prize / beauty).

03 안전띠는 내게 너무 헐거웠다.

➔ The seat belt was too (loose / fantastic) for me.

04 그의 영어 점수가 나보다 더 높았다.

➔ His English (score / trust) was higher than mine.

Answers p. 20

C 빈칸에 알맞은 철자를 넣어 문장 완성하기

01 음식을 입에 넣은 채 말하는 것은 예의 바르지 않다.

➜ It's not [ ][o][ ][ ][t][e] to talk with your mouth full.

02 그녀는 우리에 대한 그녀의 신뢰를 표현했다.

➜ She expressed her [ ][r][ ][s][ ] in us.

03 그는 노래 경연 대회에서 상을 받았다.

➜ He won a [p][ ][i][ ][ ] in a singing contest.

04 우리는 내 환상적인 아이디어에 관해 이야기했다.

➜ We talked about my [ ][ ][n][ ][ ][ ][t][ ][c] ideas.

4주 4일

4주 3~4일 누적 테스트 영어는 우리말로, 우리말은 영어로 쓰기

01	score		09	원인, 이유	
02	silent		10	헐거운, 헐렁한, 풀린	
03	polite		11	우주 비행사	
04	sound		12	상, 상품	
05	beauty		13	아주 훌륭한, 뛰어난	
06	fact		14	총명한, 지적인	
07	fantastic		15	충분한	
08	blind		16	신뢰	

wild [waild]

야생의

He took pictures of wild animals.
그는 야생 동물 사진을 찍었다.

rude [ruːd]

무례한

반의어 polite 예의 바른

The woman was very rude.
그 여자는 아주 무례했다.

empty [émpti]

비어 있는, 빈

반의어 full 가득한

She found the refrigerator empty.
그녀는 냉장고가 비었다는 것을 알게 됐다.

healthy [hélθi]

1 건강한 2 건강에 좋은

명사 health 건강

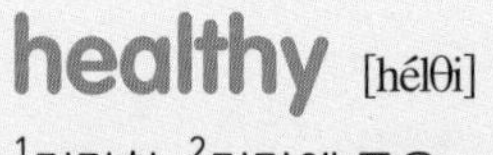

Exercise keeps us healthy.
운동은 우리를 건강하게 해 준다.

어휘 기초 확인

Answers p. 20

A 영어는 우리말로, 우리말은 영어로 쓰기

01 empty

02 wild

03 healthy

04 rude

05 건강한, 건강에 좋은

06 무례한

07 야생의

08 비어 있는, 빈

B 빈칸에 알맞은 말 넣어 완성하기

01 a ________ body 건강한 신체

02 an ________ box 빈 상자

03 ________ jokes 무례한 농담

04 a ________ horse 야생마

C 괄호 안의 철자를 바르게 배열하여 쓰기

01 We can see many ________ (idwl) flowers in spring. 우리는 봄에 많은 야생화를 볼 수 있다.

02 I found an ________ (tepmy) house in the woods. 나는 숲에서 빈집을 발견했다.

03 It is ________ (dreu) to stare at people. 사람을 빤히 쳐다보는 것은 무례하다.

04 He had her daughter eat ________ (tlyhahe) food. 그는 딸이 건강에 좋은 음식을 먹게 했다.

4주 5일

attitude [ǽtitjùːd]

태도

He has a positive attitude.
그는 긍정적인 태도를 가지고 있다.

forest [fɔ́ːrist]

숲, 삼림

유의어 wood(s)

The foxes live in the forest.
그 여우들은 숲에 산다.

information [ìnfərméiʃən]

정보

동사 inform 알리다

I search for information online.
나는 온라인으로 정보를 찾는다.

interest [íntərəst]

관심(사), 흥미

형용사 interesting 흥미로운

She has interest in movies.
그녀는 영화에 관심이 있다.

어휘 기초 확인

Answers p. 20

A 영어는 우리말로, 우리말은 영어로 쓰기

01 attitude [ ]

02 information [ ]

03 interest [ ]

04 forest [ ]

05 정보 [ ]

06 숲, 삼림 [ ]

07 태도 [ ]

08 관심(사), 흥미 [ ]

B 빈칸에 알맞은 말 넣어 완성하기

01 correct ________ 정확한 정보

02 a strong ________ 강경한 태도

03 a dark ________ 캄캄한 숲

04 wide ________ 폭넓은 관심사

C 알맞은 말 골라 쓰기

attitude	interest	forest	information

01 She gave me some useful ________. 그녀는 내게 유용한 정보를 주었다.

02 His feeling has changed his ________. 그의 감정이 그의 태도를 바꾸었다.

03 I live in a small house near the ________. 나는 숲 근처 작은 집에 산다.

04 My ________ in music kept me busy. 음악에 대한 내 흥미는 나를 계속 바쁘게 한다.

5일 어휘 집중 연습

A 단어와 우리말 뜻 연결하기

01 healthy •
02 forest •
03 rude •
04 empty •
05 interest •
06 attitude •

• a. 건강한, 건강에 좋은
• b. 관심(사), 흥미
• c. 태도
• d. 비어 있는, 빈
• e. 무례한
• f. 숲, 삼림

B 밑줄 친 부분에 유의하여 알맞은 말 고르기

01 우리 손님들에게 무례하게 굴지 마라.

➔ Don't be (rude / healthy) to our guests.

02 그녀는 그 프로젝트에 대한 정보가 거의 없었다.

➔ She had little (forest / information) about the project.

03 그들은 행사에 관심이 없었다.

➔ They had no (attitude / interest) in the event.

04 그는 야생 고양이들을 구하려고 노력했다.

➔ He tried to save the (wild / empty) cats.

Answers p. 20

C 빈칸에 알맞은 철자를 넣어 문장 완성하기

01 그 병은 반쯤 비어 있었다.

→ The bottle was half e _ p _ _ .

02 도보 여행자들은 숲에서 길을 잃었다.

→ The hikers got lost in a f _ r _ s _ .

03 그 소년은 아주 건강해 보였다.

→ The boy looked very h e _ _ t _ _ .

04 그들의 태도가 나를 긴장하게 했다.

→ Their _ t _ _ t u _ _ made me nervous.

4주 4~5일 누적 테스트 영어는 우리말로, 우리말은 영어로 쓰기

01	healthy	
02	forest	
03	loose	
04	excellent	
05	attitude	
06	empty	
07	trust	
08	prize	
09	정보	
10	아름다움, 미인	
11	야생의	
12	환상적인, 멋진	
13	예의 바른	
14	무례한	
15	득점, 점수	
16	관심(사), 흥미	

특강 | Creative Visual Review 창의 · 융합 · 코딩

공부한 어휘와 관련된 이야기를 읽으며 뜻을 확인해 봅시다.

Mr. Hunter isn't afraid of wild animals.
(Hunter씨는 야생 동물을 두려워하지 않아.)

Hunter씨의 조상은 hunter, 즉 사냥꾼이었을 거야. 영미권 사람들의 성을 보면 조상의 특징, 출신, 직업 등을 추측할 수 있거든.

조상의 특징이 드러나는 성

Neil Armstrong is a famous astronaut.
(닐 암스트롱은 유명한 우주 비행사예요.)

인류 역사상 최초로 달에 착륙한 미국의 우주 비행사 닐 암스트롱의 조상은 arm+strong, 즉 팔 힘이 아주 강했을 거예요. Armstrong은 스코틀랜드 계통의 성씨로 문자 그대로 팔의 힘이 세다는 의미예요. 그렇다면 Wiseman은? 조상이 아주 wise, 즉 현명한 사람이었겠죠?

누군가의 아들임을 나타내는 성

Mr. Johnson is as polite and intelligent as his father.
(Johnson씨는 아버지처럼 예의 바르고 총명해요.)

Johnson은 John의 아들이라는 의미로 접미사 -son(아들)을 붙인 성이예요. 이처럼 -son으로 끝나거나, O'나 Mc/Mac으로 시작하면, 누군가의 아들이나 손자를 뜻해요. 그러니까 McDonald는 Donald의 아들, O'Brien은 Brien의 손자라는 의미예요.

조상의 직업에서 유래된 성

Mr. Cook is an excellent chef.
(Cook씨는 아주 훌륭한 요리사예요.)

Cook이라는 성은 직업 cook, 즉 요리사에서 유래되었어요. Baker의 조상은 baker(제빵사), Farmer는 farmer(농부), Taylor는 tailor(재단사), Fisher는 fisherman(어부) 등 성만으로도 조상의 직업을 추측할 수 있어요.

4주 특강

A 그림에서 연상되는 단어와 뜻을 찾아 써 봅시다.

1

2

3

4

5

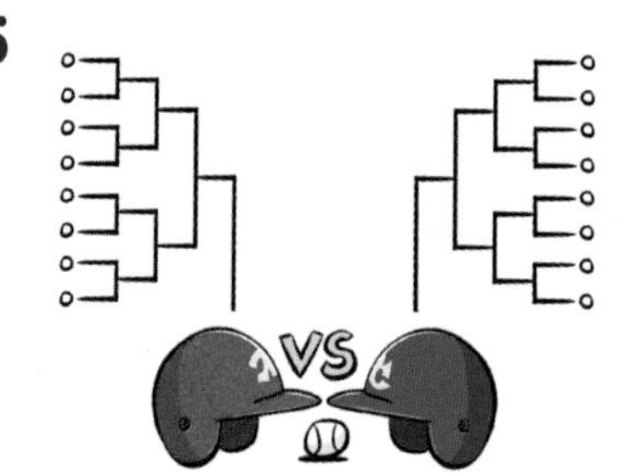

6

narrow	cause	floor
lucky	attitude	final

운이 좋은, 행운의	원인, 이유	태도
마지막의, 최종적인	좁은	(건물의) 층, 바닥

Answers p. 21

B 우리말 뜻을 참고하여 철자를 바르게 배열해 봅시다.

1 eceprft 완벽한, 꼭 알맞은 (1)

2 pyoacnm 회사

3 rosce 득점, 점수 (2)

4 lwdi 야생의 (3)

5 lniste 말을 안 하는, 조용한 (4)

6 itfscanta 환상적인, 멋진 (5)

7 steientr 관심(사), 흥미 (6)

번호 순서대로 철자를 배열하여 단어를 완성하고 우리말 뜻을 써 봅시다.

?

1 2 3 4 5 6 ________

4주 특강

C 그림을 보고, 대화를 완성해 봅시다.

1

2

3

1 A: Do you have ________ food?

너는 음식이 충분히 있니?

B: No. I found my refrigerator ________.

아니. 나는 냉장고가 비어 있다는 걸 알게 됐어.

2 A: I want to be ________. 나는 건강해지고 싶어.

B: Why don't you go to the ________? 체육관에 가는 게 어때?

3 A: Did you go camping in the ________?

너는 숲에서 캠핑을 했니?

B: Yes. It was a great ________. 응. 굉장한 모험이었어.

Answers p. 21

D 크로스워드 퍼즐을 완성해 봅시다.

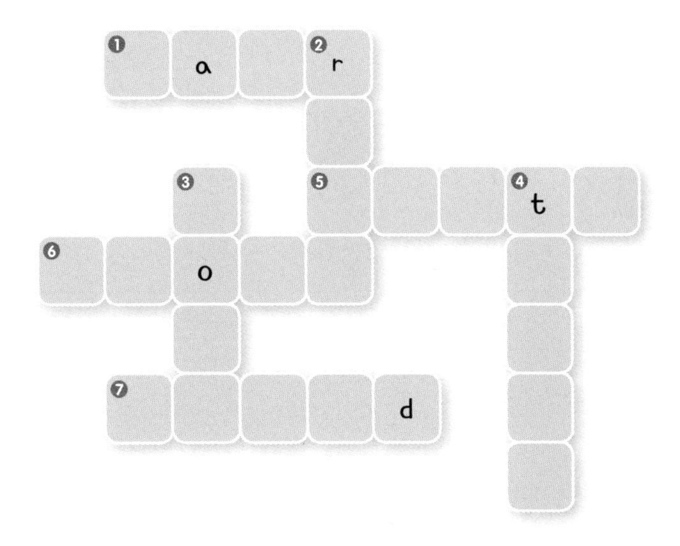

1  __________ 공정한, 공평한

5 clean 청결한, 깨끗한 ↔ __________ 더러운, 지저분한

6 a __________ sweater 헐거운 스웨터

7 She's __________ in her right eye. 그녀는 오른쪽 눈이 멀었다.

2 polite 예의 바른 ↔ __________ 무례한

3 achieve a __________ 목표를 달성하다

4 신뢰 : __________

4주 특강

누구나 100점 테스트

[01-02] 그림을 보고, 우리말 뜻에 해당하는 단어를 써 봅시다.

01

소리, 음 :

02

아주 훌륭한, 뛰어난 :

[03-05] 밑줄 친 단어의 뜻으로 알맞은 것을 골라 봅시다.

03

She gave me some useful information.

a. 상, 상품　　b. 신뢰　　c. 정보　　d. 회사

04

The boy stood in the narrow space.

a. 운이 좋은, 행운의　　b. 곧은, 똑바른　　c. 비어 있는, 빈　　d. 좁은

05

The reporter interviewed a famous astronaut.

a. 우주 비행사　　b. 지구, 땅, 지면　　c. 숲, 삼림　　d. 사실

Answers p. 21

[06-07] 빈칸에 들어갈 알맞은 단어를 골라 봅시다.

06

We saw the ____________ of the mountain. 우리는 산의 아름다움을 보았다.

a. forest b. match c. beauty d. earth

07

My sister has long ____________ hair. 내 여동생은 긴 직모를 가지고 있다.

a. straight b. fair c. loose d. perfect

[08-10] 그림을 보고, 알맞은 단어를 골라 문장을 다시 써 봅시다.

08

Touching the moon is (silent / impossible).

➡

09

You have to take out the (trash / fact).

➡

10

A dolphin is an (intelligent / wild) animal.

➡

4주

Index

Index

천재교육

정답

중학 ★ 바탕 학습

어휘 2 형용사·명사편

시작은

하루 영어

중학 어휘
2

시작은 하루 영어

정답

정답

1주

1주에는 무엇을 공부할까? ❶ pp. 6 ~ 7

01 쾌활한, 발랄한
02 대회, 시합
03 재미있는, 흥미로운
04 매우 좋아하는
05 발명, 발명품
06 계획
07 버릇, 습관
08 재능
09 질문, 문제

1주에는 무엇을 공부할까? ❷ pp. 8 ~ 9

❷-1
01 excited
02 different
03 exam
04 weak
05 choice
06 sick

❷-2
01 funny
02 clean
03 absent
04 grade
05 worried
06 disease

형용사

어휘 기초 확인 p. 11

A
01 우스운, 재미있는, 괴상한
02 신이 난, 흥분한
03 재미있는, 흥미로운
04 화난, 성난
05 excited
06 angry
07 funny
08 interesting

B
01 angry
02 funny
03 interesting
04 excited

C
01 funny
02 interesting
03 excited
04 angry

명사

어휘 기초 확인 p. 13

A
01 이유, 원인
02 버릇, 습관
03 질문, 문제
04 계획
05 question
06 plan
07 reason
08 habit

B
01 habit
02 question
03 reason
04 plan

C
01 habits
02 questions
03 reasons
04 plans

1일 어휘 집중 연습 pp. 14 ~ 15

A
01 c
02 a
03 e
04 f
05 d
06 b

B
01 angry
02 question
03 interesting
04 habit

C
01 reason
02 funny
03 excited
04 plan

누적 테스트

01 질문, 문제
02 재미있는, 흥미로운
03 우스운, 재미있는, 괴상한
04 화난, 성난
05 계획
06 버릇, 습관
07 신이 난, 흥분한
08 이유, 원인
09 angry
10 interesting
11 habit
12 funny
13 reason
14 plan
15 question
16 excited

형용사

어휘 기초 확인 p. 17

A
01 매우 좋아하는
02 바쁜, 혼잡한
03 깨끗한, 깔끔한
04 어려운, 힘든
05 busy
06 difficult
07 favorite
08 clean

B
01 busy
02 favorite
03 clean
04 difficult

C
01 difficult
02 clean
03 favorite
04 busy

명사

어휘 기초 확인 p. 19

A
01 문제
02 발명, 발명품
03 과목, 주제, 문제
04 시험, 검사
05 exam
06 subject
07 invention
08 problem

B
01 exam
02 subject
03 problem
04 invention

C
01 invention
02 exam
03 problem
04 subject

2일 어휘 집중 연습 pp. 20 ~ 21

A
01 f
02 e
03 c
04 a
05 b
06 d

B
01 busy
02 problems
03 exam
04 clean

C
01 favorite
02 difficult
03 subject
04 inventions

누적 테스트

01 이유, 원인
02 재미있는, 흥미로운
03 우스운, 재미있는, 괴상한
04 신이 난, 흥분한
05 바쁜, 혼잡한
06 깨끗한, 깔끔한
07 발명, 발명품
08 매우 좋아하는
09 plan
10 angry
11 habit
12 question
13 exam
14 difficult
15 problem
16 subject

형용사

어휘 기초 확인 p. 23

A
01 조용한
02 결석한, 없는
03 인기 있는, 대중적인
04 다른, 여러 가지의
05 absent
06 different
07 quiet
08 popular

B
01 popular
02 absent
03 quiet
04 different

C
01 different
02 quiet
03 popular
04 absent

정답

명사

어휘 기초 확인 p. 25

A 01 대회, 시합 02 성적, 학년 03 재능, 재능 있는 사람 04 도서관 05 talent 06 library 07 grade 08 contest

B 01 talent 02 grade 03 library 04 contest

C 01 contest 02 grade 03 library 04 talent

3일 어휘 집중 연습 pp. 26 ~ 27

A 01 c 02 e 03 f 04 b 05 a 06 d

B 01 quiet 02 contest 03 grade 04 different

C 01 popular 02 absent 03 library 04 talent

누적 테스트

01 문제 02 깨끗한, 깔끔한 03 시험, 검사 04 매우 좋아하는 05 대회, 시합 06 재능, 재능 있는 사람 07 성적, 학년 08 인기 있는, 대중적인 09 invention 10 difficult 11 busy 12 subject 13 absent 14 different 15 library 16 quiet

4일

형용사

어휘 기초 확인 p. 29

A 01 놀란 02 재미없는, 지루한 03 쾌활한, 발랄한 04 걱정하는 05 worried 06 surprised 07 boring 08 cheerful

B 01 surprised 02 cheerful 03 boring 04 worried

C 01 worried 02 boring 03 cheerful 04 surprised

명사

어휘 기초 확인 p. 31

A 01 미래, 장래 02 일, 직업, 역할 03 선택(권) 04 언어, 말 05 language 06 future 07 job 08 choice

B 01 language 02 job 03 future 04 choice

C 01 job 02 future 03 language 04 choice

4일 어휘 집중 연습 pp. 32 ~ 33

A 01 d 02 f 03 e 04 b 05 a 06 c

B 01 job 02 worried 03 choice 04 cheerful

C 01 future 02 surprised 03 boring 04 languages

누적 테스트

01 조용한
02 재능, 재능 있는 사람
03 도서관
04 인기 있는, 대중적인
05 걱정하는
06 쾌활한, 발랄한
07 선택(권)
08 미래, 장래
09 absent
10 different
11 grade
12 contest
13 language
14 job
15 surprised
16 boring

형용사

어휘 기초 확인 p. 35

A 01 약한, 힘이 없는 02 신선한, 상쾌한 03 아픈, 병든 04 짙은, 어두운 05 sick 06 dark 07 fresh 08 weak

B 01 dark 02 weak 03 fresh 04 sick

C 01 dark 02 sick 03 fresh 04 weak

명사

어휘 기초 확인 p. 37

A 01 질병, 병 02 약, 약물, 의학 03 두통 04 경험 05 experience 06 headache 07 disease 08 medicine

B 01 experience 02 headache 03 medicine 04 disease

C 01 medicine 02 experience 03 headache 04 disease

5일 어휘 집중 연습 pp. 38 ~ 39

A 01 e 02 a 03 f 04 c 05 d 06 b

B 01 fresh 02 headache 03 dark 04 experience

C 01 sick 02 weak 03 disease 04 medicine

누적 테스트

01 언어, 말
02 쾌활한, 발랄한
03 선택(권)
04 놀란
05 약한, 힘이 없는
06 두통
07 경험
08 질병, 병
09 worried
10 job
11 future
12 boring
13 medicine
14 sick
15 dark
16 fresh

정답

특강 | 창의 · 융합 · 코딩 pp. 42 ~ 45

A
1 habit 버릇, 습관
2 invention 발명, 발명품
3 different 다른, 여러 가지의
4 plan 계획
5 language 언어, 말
6 angry 화난, 성난

B
1 reason
2 boring
3 disease
4 popular
5 choice
6 interesting
7 difficult
➔ absent, 결석한, 없는

C
1 boring
2 cheerful, grade
3 absent, headache

D

	❶t								
❷d	a	r	k						
	l						❸q		❹w
	e		❺p				u		o
	n		r				i		r
	t		o				e		r
	❻s	u	b	j	e	c	t		i
			l						e
			❼e	x	c	i	t	e	d
			m						

1주 누구나 100점 테스트 pp. 46 ~ 47

01 popular
02 surprised
03 b
04 c
05 a
06 d
07 b
08 interesting, The science class was interesting.
09 future, He talks about his plans for the future.
10 medicine, Take the medicine three times a day.

2주

2주에는 무엇을 공부할까? ❶ pp. 48 ~ 49

01 반려동물
02 자원봉사자
03 박물관
04 모양, 형태
05 독특한
06 속상한, 마음이 상한
07 반, 절반
08 잘생긴
09 비밀
10 약속

2주에는 무엇을 공부할까? ❷ pp. 50 ~ 51

❷-1 01 nervous 02 clever 03 culture 04 safe 05 vacation 06 lazy

❷-2 01 dangerous 02 rule 03 present 04 advice 05 useful 06 alone

형용사

어휘 기초 확인 p. 53

A 01 잘생긴 02 작은, 어린, (양이) 거의 없는 03 상냥한, 온화한 04 옳은, 정확한 05 little 06 gentle 07 correct 08 handsome

B 01 little 02 gentle 03 handsome 04 correct

C 01 correct 02 handsome 03 little 04 gentle

명사

어휘 기초 확인 p. 55

A 01 이웃 02 반, 절반 03 자원봉사자 04 결과 05 volunteer 06 result 07 half 08 neighbor

B 01 half 02 neighbor 03 volunteer 04 result

C 01 result 02 half 03 neighbor 04 volunteer

1일 어휘 집중 연습 pp. 56 ~ 57

A 01 e 02 c 03 f 04 d 05 a 06 b

B 01 correct 02 result 03 gentle 04 volunteer

C 01 little 02 neighbor 03 handsome 04 half

누적 테스트

01 반, 절반
02 상냥한, 온화한
03 자원봉사자
04 이웃
05 옳은, 정확한
06 잘생긴
07 작은, 어린, (양이) 거의 없는
08 결과
09 little
10 result
11 handsome
12 volunteer
13 half
14 gentle
15 correct
16 neighbor

정답

형용사

어휘 기초 확인 p. 59

A
01 긴장되는, 초조한
02 늦은, 지각한
03 속상한, 마음이 상한
04 게으른, 나태한
05 upset
06 lazy
07 nervous
08 late

B
01 lazy
02 late
03 upset
04 nervous

C
01 upset
02 late
03 nervous
04 lazy

명사

어휘 기초 확인 p. 61

A
01 약속
02 모양, 형태
03 조언, 충고
04 규칙, 원칙
05 advice
06 promise
07 rule
08 shape

B
01 shape
02 advice
03 rule
04 promise

C
01 shape
02 promise
03 rule
04 advice

2일 어휘 집중 연습 pp. 62 ~ 63

A
01 c
02 a
03 e
04 f
05 b
06 d

B
01 late
02 rule
03 lazy
04 shape

C
01 upset
02 promise
03 nervous
04 advice

누적 테스트

01 모양, 형태
02 상냥한, 온화한
03 속상한, 마음이 상한
04 결과
05 긴장되는, 초조한
06 자원봉사자
07 작은, 어린, (양이) 거의 없는
08 조언, 충고
09 late
10 handsome
11 half
12 rule
13 promise
14 correct
15 neighbor
16 lazy

3일

형용사

어휘 기초 확인 p. 65

A
01 안전한
02 쓸모 있는, 유용한
03 주의 깊은, 신중한
04 위험한
05 careful
06 safe
07 dangerous
08 useful

B
01 useful
02 safe
03 dangerous
04 careful

C
01 dangerous
02 safe
03 careful
04 useful

명사

어휘 기초 확인 p. 67

A
01 물품, 상품, 항목
02 농장
03 환경
04 박물관
05 environment
06 item
07 museum
08 farm

B
01 farm
02 item
03 museum
04 environment

C
01 environment
02 item
03 museum
04 farm

3일 어휘 집중 연습 pp. 68 ~ 69

A
01 f
02 e
03 b
04 a
05 d
06 c

B
01 environment
02 safe
03 dangerous
04 item

C
01 museum
02 useful
03 farm
04 careful

누적 테스트

01 쓸모 있는, 유용한
02 게으른, 나태한
03 약속
04 환경
05 위험한
06 늦은, 지각한
07 물품, 상품, 항목
08 규칙, 원칙
09 upset
10 safe
11 advice
12 museum
13 shape
14 careful
15 nervous
16 farm

형용사

어휘 기초 확인 p. 71

A
01 독특한
02 두려워하는, 걱정하는
03 영리한, 독창적인
04 이상한, 낯선
05 clever
06 strange
07 afraid
08 unique

B
01 unique
02 clever
03 strange
04 afraid

C
01 afraid
02 clever
03 strange
04 unique

명사

어휘 기초 확인 p. 73

A
01 전통, 관습
02 비밀
03 문화
04 선물
05 present
06 tradition
07 secret
08 culture

B
01 culture
02 present
03 tradition
04 secret

C
01 secret
02 tradition
03 culture
04 present

정답

4일 어휘 집중 연습 pp. 74 ~ 75

A
01 d
02 a
03 c
04 f
05 b
06 e

B
01 clever
02 tradition
03 afraid
04 present

C
01 secret
02 unique
03 strange
04 culture

누적 테스트

01 주의 깊은, 신중한
02 비밀
03 두려워하는, 걱정하는
04 안전한
05 선물
06 이상한, 낯선
07 농장
08 박물관
09 clever
10 useful
11 tradition
12 environment
13 culture
14 dangerous
15 item
16 unique

5일

형용사

어휘 기초 확인 p. 77

A
01 친절한, 다정한
02 현명한, 지혜로운
03 혼자인, 혼자, 외로운
04 특별한
05 wise
06 special
07 friendly
08 alone

B
01 special
02 alone
03 friendly
04 wise

C
01 friendly
02 wise
03 special
04 alone

명사

어휘 기초 확인 p. 79

A
01 대통령, 회장
02 방학, 휴가
03 반려동물
04 나라, 시골
05 country
06 pet
07 president
08 vacation

B
01 pet
02 vacation
03 country
04 president

C
01 president
02 country
03 vacation
04 pet

5일 어휘 집중 연습 pp. 80 ~ 81

A
01 b
02 f
03 d
04 c
05 a
06 e

B
01 president
02 pet
03 friendly
04 wise

C
01 special
02 country
03 alone
04 vacation

누적 테스트

01 영리한, 독창적인
02 방학, 휴가
03 전통, 관습
04 나라, 시골
05 현명한, 지혜로운
06 독특한
07 친절한, 다정한
08 문화
09 special
10 strange
11 pet
12 present
13 president
14 secret
15 afraid
16 alone

특강 | 창의 · 융합 · 코딩 pp. 84 ~ 87

A
1 afraid 두려워하는, 걱정하는
2 unique 독특한
3 result 결과
4 environment 환경
5 late 늦은, 지각한
6 friendly 친절한, 다정한

B
1 dangerous
2 handsome
3 alone
4 volunteer
5 special
6 secret
7 upset
➔ advice, 조언, 충고

C
1 vacation, museum
2 pet, clever
3 country, little, farm

D

					❶s			
	❷w		❸c		❹h	a	l	f
	i		u		a			
	s		l		p			
❺g	e	n	t	l	e			
			u				❻i	
	❼c	o	r	r	e	c	t	
			e				e	
							m	

2주 누구나 100점 테스트 pp. 88 ~ 89

01 present
02 lazy
03 b
04 c
05 a
06 b
07 d
08 president, The president is giving a speech.
09 useful, This backpack is very useful.
10 neighbor, I met my new neighbor.

정답

3주

3주에는 무엇을 공부할까? ❶ pp. 90 ~ 91

01 마른, 얇은
02 공항
03 거대한, 막대한
04 휴가, 방학, 공휴일
05 섬
06 여행, 관광
07 잠이 든, 자고 있는
08 용감한, 용기 있는
09 유명한
10 아주 맛있는
11 요리법, 조리법
12 끔찍한, 심한

3주에는 무엇을 공부할까? ❷ pp. 92 ~ 93

❷-1 01 deep
02 sharp
03 serious
04 speech
05 flat
06 hurt

❷-2 01 musician
02 desert
03 ugly
04 trouble
05 passport
06 heavy

형용사

어휘 기초 확인 p. 95

A 01 (값이) 싼
02 깊은
03 마른, 얇은
04 거대한, 막대한
05 thin
06 huge
07 cheap
08 deep

B 01 thin
02 cheap
03 deep
04 huge

C 01 deep
02 huge
03 thin
04 cheap

명사

어휘 기초 확인 p. 97

A 01 값, 가격
02 항공편, 여행, 비행
03 여권
04 공항
05 passport
06 airport
07 price
08 flight

B 01 airport
02 price
03 passport
04 flight

C 01 price
02 flight
03 passport
04 airport

1일 어휘 집중 연습 pp. 98 ~ 99

A 01 d
02 a
03 f
04 b
05 c
06 e

B 01 cheap
02 a flight
03 deep
04 huge

C 01 airport
02 price
03 thin
04 passport

누적 테스트

01 마른, 얇은
02 (값이) 싼
03 여권
04 항공편, 여행, 비행
05 거대한, 막대한
06 값, 가격
07 공항
08 깊은
09 flight
10 huge
11 cheap
12 deep
13 price
14 thin
15 passport
16 airport

2일

형용사

어휘 기초 확인 p. 101

A 01 못생긴, 추한
02 따뜻한, 따스한
03 날카로운, 뾰족한, 예리한
04 귀여운
05 sharp
06 cute
07 warm
08 ugly

B 01 warm
02 cute
03 sharp
04 ugly

C 01 sharp
02 cute
03 ugly
04 warm

명사

어휘 기초 확인 p. 103

A 01 목소리
02 섬
03 여행, 관광
04 휴가, 방학, 공휴일
05 holiday
06 island
07 tour
08 voice

B 01 holiday
02 tour
03 voice
04 island

C 01 voice
02 tour
03 island
04 holiday

2일 어휘 집중 연습 pp. 104 ~ 105

A 01 f
02 c
03 b
04 d
05 a
06 e

B 01 cute
02 island
03 tour
04 warm

C 01 sharp
02 holidays
03 ugly
04 voice

누적 테스트

01 마른, 얇은
02 (값이) 싼
03 여권
04 항공편, 여행, 비행
05 여행, 관광
06 휴가, 방학, 공휴일
07 날카로운, 뾰족한, 예리한
08 목소리
09 huge
10 price
11 deep
12 airport
13 warm
14 cute
15 island
16 ugly

3일

형용사

어휘 기초 확인 p. 107

A 01 심각한, 진지한
02 잠이 든, 자고 있는
03 궁금한, 호기심이 많은
04 용감한, 용기 있는
05 curious
06 serious
07 brave
08 asleep

B 01 curious
02 asleep
03 serious
04 brave

C 01 brave
02 serious
03 asleep
04 curious

정답

명사

어휘 기초 확인 p. 109

A 01 음악가 02 농담 03 문제, 골칫거리 04 연설, 담화 05 trouble 06 speech 07 musician 08 joke

B 01 joke 02 trouble 03 speech 04 musician

C 01 speech 02 trouble 03 joke 04 musician

3일 **어휘 집중 연습** pp. 110 ~ 111

A 01 c 02 e 03 d 04 f 05 b 06 a

B 01 brave 02 jokes 03 asleep 04 speech

C 01 serious 02 curious 03 musician 04 troubles

누적 테스트

01 여행, 관광
02 못생긴, 추한
03 날카로운, 뾰족한, 예리한
04 따뜻한, 따스한
05 심각한, 진지한
06 문제, 골칫거리
07 궁금한, 호기심이 많은
08 연설, 담화
09 voice
10 cute
11 island
12 holiday
13 musician
14 asleep
15 brave
16 joke

4일

형용사

어휘 기초 확인 p. 113

A 01 끔찍한, 심한 02 간단한, 단순한 03 평평한 04 아주 맛있는 05 flat 06 delicious 07 terrible 08 simple

B 01 delicious 02 flat 03 terrible 04 simple

C 01 delicious 02 terrible 03 flat 04 simple

명사

어휘 기초 확인 p. 115

A 01 식사, 끼니 02 요리법, 조리법 03 사막 04 열, 열병 05 fever 06 desert 07 recipe 08 meal

B 01 meal 02 desert 03 fever 04 recipe

C 01 fever 02 desert 03 meal 04 recipe

4일 어휘 집중 연습 pp. 116 ~ 117

A 01 c 02 e 03 f 04 b 05 d 06 a

B 01 fever 02 desert 03 terrible 04 delicious

C 01 simple 02 meal 03 flat 04 recipe

누적 테스트

01 용감한, 용기 있는
02 문제, 골칫거리
03 궁금한, 호기심이 많은
04 잠이 든, 자고 있는
05 끔찍한, 심한
06 요리법, 조리법
07 아주 맛있는
08 열, 열병
09 musician
10 speech
11 serious
12 joke
13 flat
14 meal
15 simple
16 desert

형용사

어휘 기초 확인 p. 119

A 01 지난, 마지막의 02 유명한 03 다친, 기분이 상한 04 무거운, 심한, 많은 05 famous 06 heavy 07 last 08 hurt

B 01 famous 02 last 03 hurt 04 heavy

C 01 heavy 02 famous 03 last 04 hurt

명사

어휘 기초 확인 p. 121

A 01 홍수 02 잡지 03 기계 04 법, 법률 05 magazine 06 machine 07 flood 08 law

B 01 machine 02 flood 03 law 04 magazine

C 01 law 02 magazine 03 machine 04 flood

5일 어휘 집중 연습 pp. 122 ~ 123

A 01 c 02 f 03 e 04 a 05 d 06 b

B 01 famous 02 magazines 03 heavy 04 machine

C 01 hurt 02 flood 03 last 04 law

누적 테스트

01 식사, 끼니
02 요리법, 조리법
03 평평한
04 열, 열병
05 유명한
06 다친, 기분이 상한
07 잡지
08 법, 법률
09 delicious
10 terrible
11 simple
12 desert
13 machine
14 heavy
15 last
16 flood

정답

특강 | 창의 · 융합 · 코딩 pp. 126 ~ 129

A **1** cheap (값이) 싼
2 huge 거대한, 막대한
3 voice 목소리
4 curious 궁금한, 호기심이 많은
5 meal 식사, 끼니
6 flood 홍수

B **1** price
2 sharp
3 musician
4 asleep
5 holiday
6 airport
7 flat
→ passport, 여권

C **1** price, famous
2 island, warm
3 delicious, recipe

D

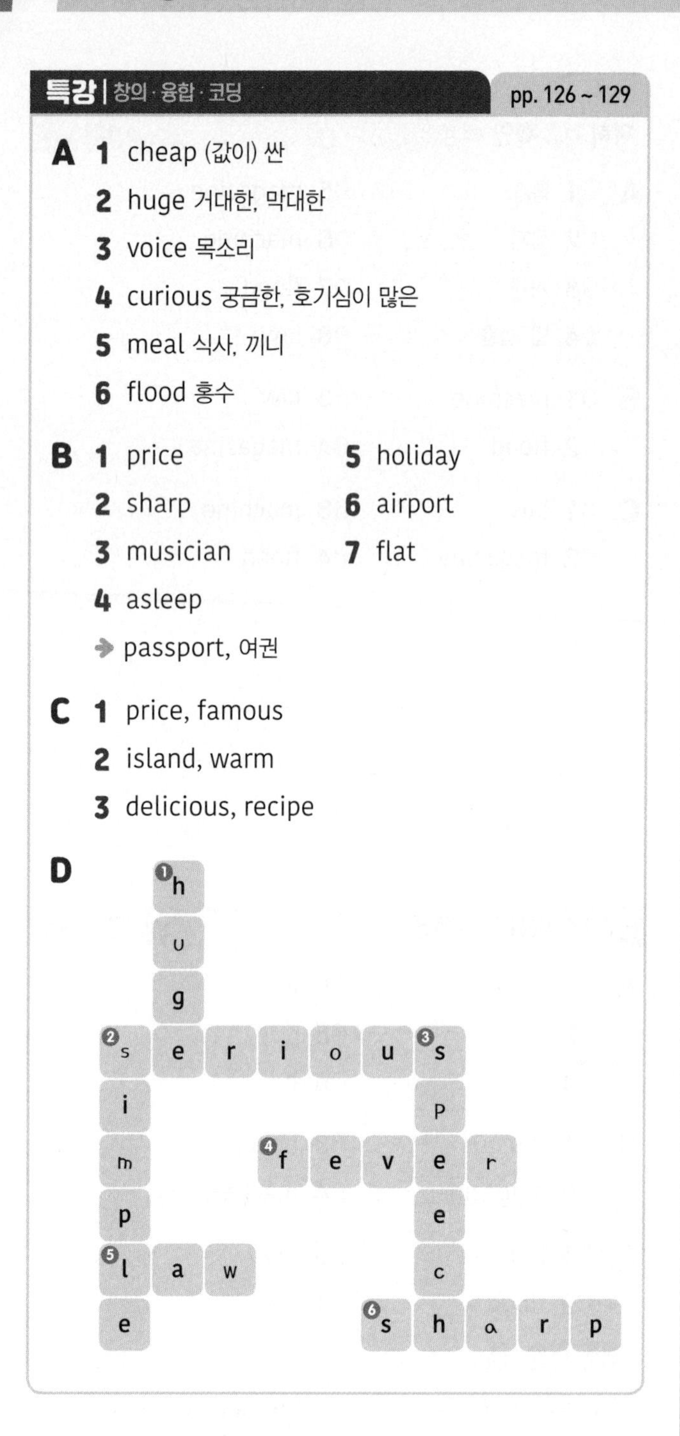

3주 누구나 100점 테스트 pp. 130 ~ 131

01 cute
02 flight
03 d
04 b
05 c
06 a
07 d
08 trouble, I'm having trouble with my cellphone.
09 asleep, Somi and her cat were asleep on the sofa.
10 law, If you break the law, you will be caught.

4주에는 무엇을 공부할까? ❶

pp. 132 ~ 133

01 운이 좋은, 행운의
02 (건물의) 층, 바닥
03 헐거운, 헐렁한, 풀린
04 건강한, 건강에 좋은
05 체육관
06 숲, 삼림
07 비어 있는, 빈
08 목표, 골, 득점
09 예의 바른
10 공정한, 공평한

4주에는 무엇을 공부할까? ❷

pp. 134 ~ 135

❷-1
01 straight
02 match
03 blind
04 sound
05 trash
06 wild

❷-2
01 score
02 astronaut
03 silent
04 rude
05 prize
06 excellent

형용사

어휘 기초 확인

p. 137

A
01 좁은
02 더러운, 지저분한
03 완벽한, 꼭 알맞은
04 운이 좋은, 행운의
05 lucky
06 dirty
07 narrow
08 perfect

B
01 dirty
02 narrow
03 lucky
04 perfect

C
01 perfect
02 dirty
03 lucky
04 narrow

명사

어휘 기초 확인

p. 139

A
01 체육관
02 (건물의) 층, 바닥
03 지구, 땅, 지면
04 목표, 골, 득점
05 earth
06 goal
07 gym
08 floor

B
01 goal
02 floor
03 earth
04 gym

C
01 floor
02 gym
03 goal
04 earth

1일 어휘 집중 연습

pp. 140 ~ 141

A
01 e
02 f
03 a
04 d
05 c
06 b

B
01 gym
02 dirty
03 lucky
04 goal

C
01 Earth
02 perfect
03 floor
04 narrow

누적 테스트

01 (건물의) 층, 바닥
02 좁은
03 더러운, 지저분한
04 체육관
05 완벽한, 꼭 알맞은
06 목표, 골, 득점
07 운이 좋은, 행운의
08 지구, 땅, 지면
09 goal
10 perfect
11 earth
12 narrow
13 dirty
14 floor
15 lucky
16 gym

정답

2일

형용사

어휘 기초 확인 p. 143

A	01 불가능한	05 final
	02 공정한, 공평한	06 straight
	03 마지막의, 최종적인	07 impossible
	04 곧은, 똑바른	08 fair
B	01 final	03 fair
	02 impossible	04 straight
C	01 fair	03 straight
	02 impossible	04 final

명사

어휘 기초 확인 p. 145

A	01 모험	05 company
	02 쓰레기	06 adventure
	03 경기, 성냥	07 trash
	04 회사	08 match
B	01 trash	03 company
	02 match	04 adventure
C	01 match	03 company
	02 adventure	04 trash

2일 어휘 집중 연습 pp. 146 ~ 147

A	01 c	04 a
	02 e	05 d
	03 b	06 f
B	01 fair	03 company
	02 impossible	04 adventure
C	01 match	03 trash
	02 straight	04 final

누적 테스트

01 마지막의, 최종적인	09 floor
02 완벽한, 꼭 알맞은	10 impossible
03 경기, 성냥	11 gym
04 목표, 골, 득점	12 trash
05 지구, 땅, 지면	13 straight
06 공정한, 공평한	14 dirty
07 운이 좋은, 행운의	15 company
08 모험	16 narrow

3일

형용사

어휘 기초 확인 p. 149

A	01 눈이 먼, 시각 장애의	05 intelligent
	02 충분한	06 silent
	03 총명한, 지적인	07 blind
	04 말을 안 하는, 조용한	08 enough
B	01 enough	03 intelligent
	02 blind	04 silent
C	01 silent	03 enough
	02 intelligent	04 blind

명사

어휘 기초 확인 p. 151

A 01 우주 비행사 02 소리, 음 03 사실 04 원인, 이유 05 sound 06 cause 07 astronaut 08 fact

B 01 fact 02 cause 03 astronaut 04 sound

C 01 sound 02 fact 03 astronaut 04 cause

3일 어휘 집중 연습 pp. 152 ~ 153

A 01 d 02 c 03 e 04 b 05 f 06 a

B 01 astronaut 02 blind 03 sound 04 intelligent

C 01 silent 02 enough 03 cause 04 fact

누적 테스트

01 충분한 02 우주 비행사 03 쓰레기 04 회사 05 곧은, 똑바른 06 원인, 이유 07 불가능한 08 총명한, 지적인 09 fair 10 blind 11 sound 12 final 13 silent 14 adventure 15 fact 16 match

4일

형용사

어휘 기초 확인 p. 155

A 01 헐거운, 헐렁한, 풀린 02 아주 훌륭한, 뛰어난 03 환상적인, 멋진 04 예의 바른 05 fantastic 06 polite 07 loose 08 excellent

B 01 fantastic 02 polite 03 excellent 04 loose

C 01 fantastic 02 polite 03 excellent 04 loose

명사

어휘 기초 확인 p. 157

A 01 상, 상품 02 아름다움, 미인 03 신뢰 04 득점, 점수 05 beauty 06 score 07 prize 08 trust

B 01 prize 02 beauty 03 score 04 trust

C 01 score 02 beauty 03 prize 04 trust

정답

4일 어휘 집중 연습 pp. 158 ~ 159

A 01 c 02 e 03 b 04 f 05 d 06 a

B 01 excellent 02 beauty 03 loose 04 score

C 01 polite 02 trust 03 prize 04 fantastic

누적 테스트

01 득점, 점수
02 말을 안 하는, 조용한
03 예의 바른
04 소리, 음
05 아름다움, 미인
06 사실
07 환상적인, 멋진
08 눈이 먼, 시각 장애의
09 cause
10 loose
11 astronaut
12 prize
13 excellent
14 intelligent
15 enough
16 trust

5일

형용사

어휘 기초 확인 p. 161

A 01 비어 있는, 빈 02 야생의 03 건강한, 건강에 좋은 04 무례한 05 healthy 06 rude 07 wild 08 empty

B 01 healthy 02 empty 03 rude 04 wild

C 01 wild 02 empty 03 rude 04 healthy

명사

어휘 기초 확인 p. 163

A 01 태도 02 정보 03 관심(사), 흥미 04 숲, 삼림 05 information 06 forest 07 attitude 08 interest

B 01 information 02 attitude 03 forest 04 interest

C 01 information 02 attitude 03 forest 04 interest

5일 어휘 집중 연습 pp. 164 ~ 165

A 01 a 02 f 03 e 04 d 05 b 06 c

B 01 rude 02 information 03 interest 04 wild

C 01 empty 02 forest 03 healthy 04 attitude

누적 테스트

01 건강한, 건강에 좋은
02 숲, 삼림
03 헐거운, 헐렁한, 풀린
04 아주 훌륭한, 뛰어난
05 태도
06 비어 있는, 빈
07 신뢰
08 상, 상품
09 information
10 beauty
11 wild
12 fantastic
13 polite
14 rude
15 score
16 interest

특강 | 창의 · 융합 · 코딩 pp. 168 ~ 171

A
1 attitude 태도
2 lucky 운이 좋은, 행운의
3 cause 원인, 이유
4 floor (건물의) 층, 바닥
5 final 마지막의, 최종적인
6 narrow 좁은

B
1 perfect
2 company
3 score
4 wild
5 silent
6 fantastic
7 interest
→ polite, 예의 바른

C
1 enough, empty
2 healthy, gym
3 forest, adventure

D

	❶f	a	i	❷r				
				u				
		❸g		❺d	i	r	❹t	y
❻l	o	o	s	e			r	
		a					u	
	❼b	l	i	n	d		s	
							t	

4주 누구나 100점 테스트 pp. 172 ~ 173

01 sound
02 excellent
03 c
04 d
05 a
06 c
07 a
08 impossible, Touching the moon is impossible.
09 trash, You have to take out the trash.
10 intelligent, A dolphin is an intelligent animal.

Memo

Memo

Memo

정답은
이안에
있어!

시작은 하루 중학 영어

- 문법 1, 2, 3
- 어휘 1, 2, 3

이 교재도 추천해요!

- G코치 (Grammar Coach)
- 3초 보카

시작은 하루 중학 사회 / 역사

- 사회 ①, ②
- 역사 ①, ②

시작은 하루 중학 과학

- 1-1, 1-2
- 2-1, 2-2
- 3-1, 3-2

배움으로 행복한 내일을 꿈꾸는

천재교육 커뮤니티 안내

교재 안내부터 구매까지 한 번에!

천재교육 홈페이지

천재교육 홈페이지에서는 자사가 발행하는 참고서,
교과서에 대한 소개는 물론 도서 구매도 할 수 있습니다.
회원에게 지급되는 별을 모아 다양한 상품 응모에도
도전해 보세요.

구독, 좋아요는 필수! 핵유용 정보 가득한

천재교육 유튜브 <천재TV>

신간에 대한 자세한 정보가 궁금하세요?
참고서를 어떻게 활용해야 할지 고민인가요?
공부 외 다양한 고민을 해결해 줄 채널이 필요한가요?
학생들에게 꼭 필요한 콘텐츠로 가득한 천재TV로 놀러 오세요!

다양한 교육 꿀팁에 깜짝 이벤트는 덤!

천재교육 인스타그램

천재교육의 새롭고 중요한 소식을 가장 먼저 접하고 싶다면?
천재교육 인스타그램 팔로우가 필수!
누구보다 빠르고 재미있게 천재교육의 소식을 전달합니다.
깜짝 이벤트도 수시로 진행되니 놓치지 마세요!